Maurice Bertrand

# L'ONU

*quatrième édition*

D1589640

Éditions La Découverte
9 *bis*, rue Abel-Hovelacque
75013 Paris

DU MÊME AUTEUR

*Pour une doctrine militaire française*, Gallimard, « Idées », Paris, 1965.
*Refaire l'ONU, un programme pour la paix*, Éd. Zoe, Genève, 1986. (Publié en allemand par DGVN, UNO Verlag, Bonn, 1988.)
*The Third Generation World Organisation*, Martinus Nijhoff, Dordrecht, 1989. (Publié en japonais par Kokusai Shobo Ltd, Tokyo, 1991.)
*La Stratégie suicidaire de l'Occident*, Bruylant, Bruxelles, 1993.
*A New Charter for the Worldwide Organisation ?* livre collectif édité par Maurice BERTRAND et Daniel WARNER, Martinus Nijhoff, La Haye, 1995.
*La Fin de l'ordre militaire*, Presses de sciences politiques, Paris, 1996.

Catalogage Électre-Bibliographie
BERTRAND, Maurice
L'ONU. – 4ᵉ éd. – Paris : La Découverte, 2003. – (Repères ; 145)
ISBN 2-7071-4136-4

| | |
|---|---|
| Rameau : | Nations unies |
| Dewey : | 341.21 : Droit international public. Nations unies |
| Public concerné : | Tout public |

Si vous désirez être tenu régulièrement informé de nos parutions, il vous suffit d'envoyer vos nom et adresse aux Éditions La Découverte, 9 *bis*, rue Abel-Hovelacque, 75013 Paris. Vous recevrez gratuitement notre bulletin trimestriel *À la Découverte*. Vous pouvez également retrouver l'ensemble de notre catalogue et nous contacter sur notre site **www.editionsladecouverte.fr**.

*À Doris,*

# Introduction

L'Organisation des Nations unies est un élément très modeste de l'ensemble complexe d'institutions qui assure les relations internationales. Et pourtant, elle soulève les passions et suscite les jugements les plus contradictoires. Ce paradoxe mérite une explication.

Il ne fait aucun doute — en dépit de la place que lui accordent les médias depuis le début des années quatre-vingt-dix — que l'ONU n'est qu'une infime partie d'un immense réseau. Les institutions de relations internationales sont à la fois publiques et privées. Les firmes transnationales ou multinationales ont des filiales, des agences, des correspondants qui constituent un système mondial, en alerte permanente, qui exerce une grande influence sur les gouvernements. Il existe aussi un très grand nombre d'associations internationales (les ONG, ou organisations non gouvernementales), qui traitent de tous les problèmes imaginables et qui ont aussi leurs agences, leurs bureaux, leurs représentants. Quant à l'ensemble public de relations entre les quelque deux cents États de la planète, il est constitué essentiellement par : les contacts au niveau le plus élevé entre chefs d'État et de gouvernement ou entre ministres des Finances ou des Affaires étrangères (les « sommets ») ; les relations diplomatiques bilatérales : ambassades, consulats, contacts directs entre administrations nationales ; un système d'organisations multilatérales, régionales, intercontinentales ou mondiales, politiques, économiques ou techniques, dont le degré de coopération ou même d'intégration est très divers.

L'ONU est l'une de ces organisations, mais elle n'est pas celle qui assure les fonctions les plus importantes. Les questions de sécurité relèvent surtout des alliances militaires, les questions économiques du Fonds monétaire international, de l'OMC

(Organisation mondiale du commerce) ou de l'OCDE, les problèmes techniques des organisations spécialisées, régionales ou mondiales. L'ONU touche sans doute à tout, mais de façon si marginale que l'on peut aisément imaginer un système dans lequel les fonctions qu'elle remplit seraient confiées à d'autres institutions. Il peut donc paraître surprenant que cette organisation ait pu être et soit encore un objet d'enthousiasme ou de haine, d'admiration ou de dérision, et que les jugements les plus contradictoires soient portés quotidiennement sur ses interventions, sur son fonctionnement, sur son efficacité et sur les mesures qu'il faudrait prendre pour la réformer.

La raison de ce paradoxe est simple : contrairement à tous les autres éléments du réseau public et privé de relations internationales, l'ONU n'a pas été instituée pour répondre à des besoins précis et concrets. Elle est seulement chargée de répondre à un rêve. Il n'est pas étonnant que chacun y projette ses fantasmes, ses frustrations ou ses illusions. Ce rêve est celui de la paix. Or les rêves de paix ne sont pas neutres. Toute paix correspond à un ordre et, plus précisément, il s'agit d'un ordre mondial. Pour les vainqueurs de la Seconde Guerre mondiale, au moment où ils créaient l'organisation, « maintien de la paix » signifiait « maintien de l'ordre », en l'occurrence celui qu'ils avaient créé par leur victoire. Mais comme Staline et Roosevelt n'avaient pas la même vision de l'ordre mondial, c'est dans la confusion et l'hypocrisie, cachées par l'illusion qui résultait de l'alliance militaire contre « le nazisme et le fascisme », que l'organisation a vu le jour.

Cette confusion et cette hypocrisie, bien qu'un demi-siècle se soit écoulé depuis cette naissance et que le monde ait considérablement changé, ne sont pas aujourd'hui dissipées. En regardant sur les écrans de télévision les camions et les véhicules blindés marquées UN (pour *United Nations*) et les scènes de guerre qui entourent et souvent impliquent les « casques bleus », l'opinion se demande si l'ONU est une organisation de paix ou une organisation de guerre ; si elle est un acteur indépendant sur la scène internationale ou si elle n'est, à travers son Conseil de sécurité, que l'exécuteur des décisions des plus grandes puissances et, en particulier, des États-Unis. Les échecs de l'ONU en Afghanistan, en Angola, en Yougoslavie, en Somalie provoquent la perplexité : les articles de presse qui attribuent son inefficacité à la mauvaise organisation de sa « bureaucratie » contredisent ceux qui prétendent qu'elle représente la moins mauvaise solution possible pour les difficiles problèmes que pose le développement des conflits interétatiques.

Les idées que l'homme de la rue se fait de l'organisation sont sans doute fondées sur des connaissances imparfaites, sur l'idée que chacun se fait de la scène internationale, et sur les opinions politiques en général. Elles fluctuent aussi en fonction des traditions du pays dans lequel on vit et des rapports positifs ou négatifs qu'il a entretenus avec l'organisation au cours de son histoire. Elles s'accompagnent de sentiments parfois assez forts de mépris, d'inimitié ou d'admiration et peuvent enfin varier suivant les péripéties de l'actualité. Mais les spécialistes de l'ONU, universitaires, diplomates ou experts, ne sont pas beaucoup plus à l'aise que l'homme de la rue pour porter un jugement sur la nature ou sur les activités de l'institution ou sur les réformes qu'il faudrait faire pour la rendre plus efficace. Les familiers des colloques sur les organisations internationales connaissent bien l'importance des différences de perception de l'ONU. Les théories traditionnelles en ce domaine n'ont pas été renouvelées. Tout ce qui s'écrit au sujet de l'organisation relève toujours : soit du « réalisme » (ou du néo-réalisme), qui nie le changement, prétend que les relations internationales ne s'expliquent que par le jeu des intérêts nationaux et décrit les organisations mondiales comme des lieux où s'affrontent les propagandes ; soit du « fonctionnalisme » qui, souvent avec candeur, prétend que les contacts entre techniciens et spécialistes permettront l'établissement d'une culture commune et pacifique, qui assurera en définitive le triomphe des valeurs occidentales ; soit d'un juridisme très généralement conservateur et purement descriptif ; soit de thèses sur l'interdépendance, mais sans base théorique ; soit, enfin, de discours utopiques à des degrés divers, prolongeant l'idéalisme wilsonien, sur la force des droits de l'homme, des valeurs morales et de la démocratie, qui débouchent en définitive sur une sorte de fédéralisme mondial.

En fait, tous ces courants se mélangent, de façon variable (et contradictoire), dans la plupart des esprits sans qu'il en résulte une théorie du changement, de la mondialisation, du dépassement des États-nations et de l'intégration mondiale. Cette confusion ne sera pas aisément dissipée. La dimension mondiale de la plupart des problèmes devient chaque jour à la fois plus importante et plus difficile à appréhender. Il est au surplus normal que chacun ait de l'ordre mondial souhaitable une conception qui résulte à la fois de son idéologie et de ses incertitudes. Il devrait être possible, en revanche, de clarifier ce qu'est l'ONU et le rôle qu'elle joue. En ce début de XXIe siècle, nous disposons de suffisamment de recul pour déterminer comment a pu naître au XVIIIe siècle une certaine idée de la paix et de l'ordre mondial qui devait lui correspondre ; pour comprendre comment cette idée, fausse dès l'origine, a pu s'incarner dans une institution à la suite des circonstances qui ont suivi les deux guerres mondiales ; pour analyser comment cette institution inadaptée a pu se maintenir sans changement, malgré les démentis que lui apportait l'histoire ; pour expliquer, enfin, pourquoi, alors que chacun parle du « village mondial », il reste encore impossible aujourd'hui de moderniser la constitution du monde.

Ce sont ces relations complexes entre les idées sur la paix, l'institution qui les incarne et le changement accéléré de la situation politique de la planète que ce livre se propose de décrire.

# I / L'élaboration de l'organisation mondiale

L'entreprise consistant à essayer d'établir une « paix perpétuelle » entre les peuples n'est pas ridicule, comme les « réalistes » ont voulu le faire croire. Elle est au contraire éminemment révolutionnaire, dans la mesure où il s'agit de changer de modèle de société. En l'occurrence, de passer d'une société divisée en États-nations rivaux, et pour qui, selon la formule de Clausewitz, « la guerre est la continuation de la politique par d'autres moyens », à une société où règne un ordre mondial. Or un tel ordre suppose à la fois l'acceptation d'une idéologie politique et d'une culture communes, la mise au point d'un système entièrement neuf capable de donner satisfaction aux besoins identitaires des peuples, une configuration d'unités politiques ne jouissant plus de la souveraineté absolue et l'établissement d'un statut politique de l'humanité sous la forme d'une constitution planétaire. Il est aussi possible de dire qu'il s'agit de démilitariser les esprits. L'entrée dans une société post-clausewitzienne ne saurait donc se faire simplement.

C'est pourtant bien cette ambition qui a inspiré ceux qui ont cherché à stabiliser la paix par la création d'une institution mondiale. Il ne serait pas équitable de leur reprocher de n'avoir pas mesuré l'ampleur de l'entreprise, ni d'avoir utilisé les instruments intellectuels qui étaient disponibles à leur époque. Le recul de l'histoire, l'expérience acquise et le développement des connaissances permettent aujourd'hui de penser que leurs méthodes ont été maladroites, insuffisantes et inadaptées.

## La naissance des idées sur la paix

Les idées sur la paix qui ont conduit à la Société des Nations en 1919, puis à l'ONU en 1945, sont nées dans un climat difficile et n'ont jamais proposé d'analyse théorique sérieuse. Pour comprendre l'ONU et ses problèmes en ce début de XXIᵉ siècle, il faut sans doute partir des horreurs de la guerre et des sentiments pacifistes qu'elles ont inspirés. Mais il faut aussi mesurer la faiblesse des idées sur la paix qui en ont résulté. Les propositions pour organiser la société internationale de façon à éviter la guerre se sont développées du XVᵉ au XVIIIᵉ siècle. Le fameux « Projet pour rendre la paix perpétuelle en Europe », de l'abbé de Saint-Pierre, date de 1713, et le « Projet philosophique de paix perpétuelle, de Kant, est de 1795. Mais ils n'ont pas été suivis au XIXᵉ siècle par des recherches ou des œuvres de quelque valeur. Alors que Clausewitz écrit, entre 1820 et 1830, une thèse brillante sur la guerre, sur la manière de la conduire et d'en faire un élément fondamental de la politique, rien n'est produit sur les techniques qui pourraient permettre d'établir la paix. Les rêves de paix ne séduisent au surplus pas les foules. Il n'y a que très peu d'esprits qui osent penser que les guerres, pourtant de plus en plus destructrices et meurtrières, pourraient, dans certains cas, être évitées. Les femmes et les mères n'aiment sans doute pas la guerre. Mais la politique est faite par les hommes, et la guerre permet de manifester sa virilité. Alors que, jusque-là, les armées étaient formées de soldats analphabètes, la naissance et l'exaltation des sentiments nationalistes font des armées de citoyens fanatiques. La gloire collective, les drapeaux pris à l'ennemi, le « génie » des généraux, tout un imaginaire se développe en soutien de sentiments puissants pour lesquels on accepte de souffrir atrocement, de devenir invalide, de mourir.

Pour comprendre comment a été conçue l'organisation mondiale, il faut considérer que les peuples et leurs dirigeants, même quand ils ont été démocratiquement élus, n'ont pas modifié la philosophie de la politique étrangère qui avait été celle des princes et des rois ; que la réflexion politique réformatrice ou révolutionnaire n'a pas remis en cause cette philosophie ; que ce sont les gouvernements, et particulièrement ceux des grandes puissances, qui ont mis en œuvre les idées de construction de la paix, avec pour motivation le maintien de l'ordre établi et, accessoirement, le besoin de répondre à une opinion lasse de la guerre ; enfin, que, dans ces conditions, les recettes qui ont été utilisées pour établir la paix ne pouvaient pas être très valables.

## Les principes de politique étrangère

À la fin du XIXᵉ siècle, en Europe, les dirigeants politiques, qu'ils fussent empereurs (Nicolas II, François-Joseph, Guillaume II) ou bourgeois, continuaient de croire, comme leurs prédécesseurs, aux vertus de la diplomatie secrète, pensaient comme Clausewitz que la guerre est la continuation de la politique par d'autres moyens, ne respectaient pas le droit des peuples à disposer d'eux-mêmes et tentaient de rassembler le plus de territoires possible sous leur autorité (par annexion de provinces en Europe ou par la conquête d'empires coloniaux). Ils parlaient « d'intérêt national », de souveraineté nationale et de raison d'État : les règles morales ne devaient pas s'appliquer à la conduite de la politique extérieure. Ils estimaient que l'équilibre des puissances était la seule garantie de la paix, mais les jeux diplomatiques consistaient justement à aller le plus loin possible dans l'extension territoriale sans déclencher de conflagration militaire généralisée. Pour les dirigeants, il s'agissait de jeux qui flattaient leur vanité et mettaient leur habileté à l'épreuve, mais les peuples soutenaient les calculs des gouvernements. Pour la grandeur de la France, la gloire de l'Allemagne ou celle de l'Empire britannique, ils étaient prêts à se battre et à mourir. Le « réalisme » était la philosophie régnante. Chacun pensait qu'il fallait se défendre contre ses ennemis et, au besoin, les attaquer s'ils devenaient trop menaçants. Et les ennemis étaient les pays voisins, toujours prêts à franchir votre frontière. L'idée que le monde était ainsi constitué de peuples qui ne pouvaient être qu'ennemis potentiels paraissait naturelle et fondée sur l'expérience. L'explication en était trouvée dans la « nature humaine », considérée comme agressive et à la recherche permanente du « pouvoir ».

Qu'une vision aussi simpliste et aussi contraire aux intérêts réels des peuples ait pu être adoptée sans contestation est sans doute un phénomène sociologique et politique étonnant. Les intérêts des populations de chaque pays en Europe étaient de coopérer dans la paix. Mais l'idée que les pays européens faisaient partie d'une même civilisation et qu'une construction politique aurait pu les unir restait étrangère à la plupart des esprits. La force du réalisme était telle que les pacifistes n'en contestaient pas les concepts fondamentaux. Au XVIIIᵉ siècle, l'idée que la paix était l'affaire des peuples était seulement apparue chez Kant. Les autres précurseurs avaient parlé de paix perpétuelle entre les souverains. Au XIXᵉ siècle, les identités nationales sont pleinement assumées, et les souverainetés nationales ne sauraient être mises en question, non plus que les intérêts nationaux ou que l'honneur de chaque pays.

**La place de la guerre et de la paix dans les grands courants de la pensée politique du XIXᵉ siècle**

Aucun penseur politique ne s'est, à cette époque, efforcé d'analyser les causes profondes des guerres. Tous les grands courants de pensée, qui font pourtant montre, sur bien des sujets, d'une grande vigueur intellectuelle et qui vont proposer aux peuples à la fois des systèmes explicatifs et de nouvelles perspectives pour la solution des problèmes politiques et sociaux, vont être incapables de traiter sérieusement des problèmes de la guerre et de la paix. Alors que le phénomène fondamental est celui de la naissance et de l'approfondissement des identités collectives dans le cadre des États-nations, les penseurs politiques n'arrivent ni à l'analyser ni même à l'observer. Le marxisme, qui propose de transformer complètement la société et qui fournit de nouveaux concepts d'analyse politique, se contente curieusement de nier le phénomène, ou, en tout état de cause, en minimise l'importance, au point de prétendre que les identités collectives de classe pourraient être plus fortes que les identités nationales. La formule « Prolétaires de tous les pays, unissez-vous » est plus un vœu pieux qu'une analyse. Et la théorie léniniste de l'impérialisme n'apportera pas l'instrument intellectuel capable d'établir un diagnostic sur les phénomènes identitaires qui assurent le triomphe des nationalismes.

De son côté, le socialisme démocratique, dont l'inspiration marxiste est variable, accepte très vite le nationalisme comme une évidence, mais n'en fournit pas pour autant d'explication ; et sa manière de le rendre compatible avec ses doctrines sociales tiendra davantage de la paresse d'esprit que de la cohérence. Son internationalisme ne sera qu'un slogan. Jaurès ira jusqu'à écrire dans *L'Armée nouvelle* (Éd. sociales, 1910) que « la phrase du Manifeste communiste qui dit que "les ouvriers n'ont pas de patrie" n'était qu'une boutade passionnée [...] que Marx lui-même avait corrigée aussiôt ». En définitive, ni les théoriciens, ni les partis politiques, ni les peuples n'ont eu finalement d'idées critiques sur la conception de politiques étrangères pour lesquelles la guerre était un moyen rationnel d'action. Le courant pacifiste s'est développé en marge, sous des formes diverses de sociétés de pensée ou d'associations qui réunissaient des intellectuels, des professeurs de droit international et quelques membres éclairés de l'*establishment* politique. Des « sociétés de paix » ont été créées à Londres, à Genève, à Bruxelles dans la première moitié du XIXᵉ siècle et des congrès internationaux ont commencé à se réunir à partir de 1843. Ce mouvement, qui est parallèle à la naissance de plusieurs Unions internationales (organisations intergouvernementales traitant de problèmes techniques telles que l'Union télégraphique internationale, 1868, ou l'Union postale universelle, 1878) — qui ont toutes adopté une structure simple faite d'une assemblée générale des représentants de tous les États membres, d'un conseil exécutif plus restreint et d'un secrétariat —, prendra plus d'ampleur à partir de 1890, date à laquelle Bertha von Suttner publiera son roman antimilitariste, *Die Waffen nieder (Bas les armes)*. Les efforts de réflexion et de propagande s'accroîtront pendant la période de montée des périls qui précèdent la Première Guerre mondiale et se concrétiseront dans les conférences de la paix de La Haye.

Mais les idées que ces sociétés de pensée répandent sur le développement du droit international, sur les principes moraux qui s'opposent à la guerre, sur l'arbitrage international, sur le désarmement (au sens de réduction des armements), puis sur la création d'une société des nations (Léon Bourgeois, *Pour la société des nations*, 1910 ; Leonard Woolf — le mari de Virginia —, *Gouvernement international*, 1916), ne reposent pas sur une analyse sérieuse du problème. Toutes ces idées sur la paix sont respectueuses du concept de souveraineté nationale absolue, ignorent les phénomènes identitaires qui font la force des nationalismes ; ne se livrent à aucune critique radicale des principes à partir desquels sont définies les politiques étrangères ; n'imaginent pas, en dépit des illusions qu'elles entretiendront sur la « sécurité collective », de système de sécurité capable de remplacer celui fondé sur l'entretien d'armées nationales.

Il ne s'agit pas d'une analyse théorique, mais d'une collection de recettes respectueuses du système existant, et dont l'efficacité est illusoire. Il n'y a rien de surprenant dans ces conditions à ce que les gouvernements, et en particulier ceux des grandes puissances, aient pu les utiliser sans difficulté pour mettre en œuvre leurs politiques qui n'avaient pas la paix pour objectif. Le problème que se posent les grands pays au XIXᵉ siècle et au début du XXᵉ, c'est en effet de maintenir et éventuellement d'accroître leur suprématie, soit en période d'équilibre des puissances, en utilisant tous les moyens pour éviter que cet équilibre ne soit troublé, soit au lendemain des grandes conflagrations, qui se terminent par la victoire d'une coalition, pour maintenir l'ordre ainsi établi. Ce dernier problème, qui avait été celui du congrès de Vienne en 1815, va se poser en des termes comparables en 1919 et en 1945. Mais il faut aussi, en même temps, donner satisfaction, au moins en apparence, aux désirs des peuples, qui se manifestent de façon particulièrement vive après ces grandes conflagrations.

Le mélange des préoccupations des gouvernements et des recettes pacifistes va finalement aboutir à une série de méthodes, assez diverses à vrai dire, pour organiser la paix, et qui seront toutes utilisées au moment de la conception de l'organisation mondiale en 1919, puis en 1945. Ces méthodes sont :

— l'institutionnalisation des alliances des vainqueurs, avec pour corollaire : l'organisation de la « sécurité collective » et la copie du modèle des organisations techniques pour créer une organisation politique ;

— le verbalisme, c'est-à-dire la souscription officielle à de grands principes moraux pour satisfaire l'opinion, mais sans les accompagner de mesures permettant d'en contrôler l'application ;

— la recherche de la réduction des armements, sous le nom de « désarmement » ;

— le recours à l'arbitrage ;

— enfin, le développement de systèmes de relations entre États dans les domaines économiques, sociaux, culturels, qui sera théorisé comme facteur de paix à partir de 1943 sous le nom de « fonctionnalisme ».

Ces méthodes seront utilisées de 1895 à 1945 pour élaborer l'organisation mondiale qui existe aujourd'hui. Il n'est pas nécessaire de démontrer leur inefficacité, puisque l'histoire s'en est chargée. En revanche, la description de la manière dont elles ont été mises en œuvre permet de mieux comprendre pourquoi, en dépit de leur échec constant, elles ont pu se perpétuer sans être réellement remises en question jusqu'au début du XXIe siècle.

## Les conférences de la paix de La Haye

Ce n'est pas une ironie de l'histoire que la première conférence de la paix ait été convoquée à l'initiative du tsar Nicolas II et ce n'est certainement pas un hasard si ce qui l'a rendue possible a été un calcul réaliste. L'idée de convocation de cette conférence est née de l'état précaire des finances russes et de l'opposition de De Witte, ministre des Finances du tsar, aux demandes du ministre de la Guerre au sujet d'un nouvel accroissement du budget militaire. Plutôt que de suggérer à l'Autriche une négociation bilatérale pour lui demander de renoncer au renforcement en cours de son artillerie, l'idée d'une négociation multilatérale sur le désarmement lui parut plus habile. Mais il est sans doute plus important encore de noter que, malgré les considérations idéalistes et l'enthousiasme de certains des participants, les résultats obtenus furent nuls en matière

# I. — Conférences de la paix de La Haye

*Extrait du manifeste envoyé par le tsar Nicolas II aux puissances accréditées à Saint-Petersburg, le 24 août 1898*

« Le maintien de la paix générale et une réduction possible des armements excessifs qui pèsent sur toutes les nations se présentent, dans la situation actuelle du monde entier, comme l'idéal auquel devraient tendre les efforts de tous les gouvernements [...] le moment présent serait très favorable à la recherche, dans les voies de la discussion internationale, des moyens les plus efficaces d'assurer à tous les peuples les bienfaits d'une paix réelle et durable et de mettre avant tout un terme au développement des armements actuels... »

*Opinion à ce sujet de l'amiral sir John Fisher, membre de la délégation britannique:* « Plus la flotte britannique sera puissante, et mieux la paix du monde sera assurée. »

*Résultats de la première conférence (1899)*

— sur la limitation des armements: résolution déclarant qu'une réduction des charges militaires serait désirable ;

— sur le droit de la guerre: deux projets de conventions, l'une sur les lois et coutumes de la guerre sur terre, l'autre sur l'adaptation à la guerre maritime des principes de la convention de Genève de 1864 ;
— sur le règlement pacifique des différends internationaux : convention sur le règlement pacifique des conflits internationaux, instituant notamment une Cour permanente d'arbitrage, simple liste d'arbitres gérée par un conseil administratif et un bureau international servant de greffe (la Cour a jugé trois affaires entre 1902 et 1908, puis dix autres entre 1908 et 1914).

*Résultats de la deuxième conférence (1907)*

— sur l'arbitrage obligatoire et la création d'une Cour d'arbitrage réellement permanente : échec ;
— projet de convention interdisant le recours à la force pour le recouvrement des dettes contractuelles, projet de convention relative à l'établissement d'une Cour internationale des prises (non ratifié).

de réduction des armements, très minces pour les quelques propositions supplémentaires que l'on avait ajoutées à l'ordre du jour afin de ne pas risquer d'échec trop visible, et qu'enfin, et surtout, le respect des concepts réalistes et nationalistes — intérêts vitaux, honneur national, souveraineté absolue, recours à la guerre si nécessaire — y fut solennellement confirmé (voir encadré I).

L'échec total de la deuxième conférence de la paix, convoquée pour 1907 à l'initiative cette fois des États-Unis d'Amérique, montra bien que les idées qui inspiraient les politiques étrangères ne facilitaient pas l'adoption de mesures en faveur de l'institutionnalisation de la paix. Comme l'avait dit le comte Sohm, ambassadeur d'Allemagne, au troisième congrès universel de l'Union interparlementaire à Rome, les activités des pacifistes n'étaient

« qu'une tentative de répandre la semence d'idées que le monde entier, hors les intéressés, regarde comme utopiques ». Entre les deux conférences, les préoccupations des chancelleries avaient plutôt concerné la guerre des Boers en Afrique du Sud gagnée par l'Angleterre en 1902, la guerre russo-japonaise entre 1904 et 1906, terminée par l'annexion de la Mandchourie du Sud et de la Corée par le Japon, la rivalité franco-allemande au Maroc, non apaisée en 1906 par la conférence d'Algésiras, la révolte des Boxers en Chine, la poursuite par la France de la conquête de l'Afrique noire, la signature de quelques accords secrets et la poursuite de la course aux armements. Le fait que la conférence de 1907 eût réuni la majorité des pays du monde, grands et petits (44 États au lieu de 26 en 1899), avait sans doute élargi le cadre de la concertation, mais il ne l'avait pas rendu plus productive.

## Les origines du modèle de la Société des Nations

Lorsque, en 1919, on se préoccupa de faire la paix, les idées sur la manière de la rendre durable en l'institutionnalisant n'avaient pas fait de grands progrès. Mais le contexte politique était complètement transformé et il devenait possible de mettre en œuvre l'ensemble des recettes existantes sur ce sujet. L'opinion publique souhaitait profondément ne plus revoir la guerre et il fallait lui fournir des raisons de croire qu'il était possible de lui donner satisfaction. Chez les Alliés, les gouvernements européens se préoccupaient aussi d'obtenir des garanties pour la sécurité future de leurs pays. Mais les idées sur le type de garanties à obtenir n'étaient pas les mêmes suivant les pays et les personnalités au pouvoir. La France et le Royaume-Uni, à travers Clemenceau et Lloyd George, avaient, de l'ordre européen et mondial futur, des visions contradictoires qui résultaient de leurs traditions nationales. Le président du Conseil français ne songeait qu'au désarmement de l'Allemagne, à la frontière de l'Est et aux réparations ; le Premier ministre britannique qu'à la puissance de sa flotte et à l'équilibre européen.

Les États-Unis, à travers Wilson, apportaient une vision différente, et la montée en puissance de ce pays dans le concert des nations, le rôle déterminant qu'il avait joué pour la victoire obligeaient à en tenir compte. Le résultat fut, comme l'on sait, un horrible mélange qui produisit le traité de Versailles et le Pacte de la SDN inséré à l'intérieur du traité. Le réalisme des Européens, tel qu'il s'est traduit dans le traité, et l'idéalisme wilsonien, tel qu'il a été transposé dans le Pacte, peuvent apparaître aujourd'hui comme

## II. — Les recettes sur la paix
## et leur traduction dans le Pacte

• *L'institutionnalisation des alliances de vainqueurs.* — La prééminence des grandes puissances : les représentants des principales puissances alliées et associées membres permanents du Conseil (article 4).

• *La copie du modèle des organisations techniques.* — Une Assemblée, un Conseil et un Secrétariat permanent (article 2).

• *La sécurité collective.* — Le recours à la guerre par un membre de la Société est considéré comme un acte de guerre contre tous les autres membres ; rupture immédiate de toutes relations ; constitution de forces armées pour faire respecter les engagements de la Société (articles 10, 11, 16 et 17).

• *Le partage des zones d'influence entre les vainqueurs.* — La doctrine de Monroe n'est pas incompatible avec le Pacte (article 21). Organisation des mandats, *i.e* du partage des empires confisqués aux vaincus (articles 22 et 23).

• *Le verbalisme.* — Les considérants du Pacte : entretenir au grand jour des relations internationales fondées sur la justice et l'honneur ; respect des prescriptions du droit international...

• *Le désarmement.* — Réduction des armements nationaux au minimum compatible avec la sécurité nationale ; échange de tous renseignements sur armements et programmes (article 8).

• *Le règlement pacifique des différends.* — Tout différend entre membres de la Société doit être soumis à l'arbitrage, ou à un règlement judiciaire, soit à l'examen du Conseil (articles 12 et 13 et Cour permanente de justice internationale ; article 14).

• *Le développement des relations entres États dans d'autres domaines.* — Seule mentionnée, la coopération des organisations de la Croix-Rouge en matière de santé (article 25).

aussi périmés l'un que l'autre. Il y a là quelque injustice pour Wilson. Le président américain, que l'économiste britannique J.M. Keynes a décrit, dans *Les Conséquences économiques de la paix* (1920), comme un « pasteur non conformiste, peut-être un presbytérien », dont « la pensée et le tempérament étaient essentiellement théologiques et non intellectuels » avait en fait esquissé dans ses *Quatorze Points* une critique fondamentale des objectifs et des méthodes des politiques étrangères telles qu'elles étaient conçues à l'époque. Cela mérite mieux que le mépris. C'était la première fois qu'étaient remis en question les principes des dynastes adoptés jusqu'ici sans hésitation par les dirigeants démocratiques et bourgeois.

Son premier point condamnait sans indulgence toute diplomatie secrète (« *no private international understanding of any kind* »), le point 4 réclamait une réduction des armements « au niveau le plus bas possible compatible avec la sécurité intérieure », le point 5 traitait (de façon quelque peu embarrassée, il est vrai) du droit des peuples à disposer d'eux-mêmes, et le point 14 sur l'« association générale des nations » précisait que le but en était de donner « des garanties mutuelles d'indépendance politique et d'intégrité territoriale pour les grands comme pour les petits États ». Il y avait là le début de formulation des principes qui gouvernent une société civilisée. Mais la critique fondamentale de Wilson ne convainquit personne, et notamment pas ses collègues français ou anglais de la conférence de la paix.

L'acceptation en 1919 du Pacte de la SDN, conçu par le colonel House, adjoint personnel de Wilson, aidé par le général sud-africain Smuts, l'Anglais Robert Cecil et le Français Léon Bourgeois, fut plus une concession à des idées considérées comme utopiques qu'une adhésion sincère à une nouvelle philosophie des relations entre les peuples. Le point 1 des principes wilsoniens sur la condamnation de la diplomatie secrète est traduit dans les considérants du Pacte par l'expression « entretenir au grand jour des relations internationales fondées sur la justice et l'honneur » ; et l'expression « niveau le plus bas compatible avec la sécurité intérieure », du point 4 sur la réduction des armements, est remplacée dans l'article 8 du Pacte par « minimum compatible avec la sécurité nationale et l'exécution des obligations internationales imposées par une action commune », ce qui signifie exactement le contraire...

Finalement, comme le montre l'encadré II, le Pacte a mélangé le réalisme traditionnel avec des idées peu réalistes sur la façon de perpétuer les alliances et de les rendre efficaces. Il s'agit bien d'un traité d'alliance entre puissances victorieuses qui entendent maintenir l'ordre qu'elles ont établi. Mais le principal moyen qui est proposé à cette fin est la « sécurité collective » qui prévoit l'intervention quasi automatique de tous les membres contre un agresseur éventuel, ce qui est un pari audacieux sur la durée de l'alliance elle-même et sur la manière dont chaque État est capable d'élargir sa conception de l'intérêt national au point de risquer la vie de ses soldats pour des causes qui ne le concernent pas directement. La structure de la nouvelle organisation est copiée sur celle des organisations techniques (assemblée, conseil, secrétariat) dans lesquelles un consensus existe sur les objectifs limités qu'elles poursuivent, ce qui n'est évidemment pas le cas d'une organisation politique. La réduction des armements est mentionnée, mais sans prévoir de méthode pour en permettre le contrôle mutuel. Enfin, le partage des zones d'influence des vainqueurs est systématiquement organisé (par le système des mandats — articles 22 et 23 — et la mention de la doctrine de Monroe, qui fait de l'Amérique latine une zone réservée aux États-Unis, dans l'article 21), ce qui implique l'ignorance du droit des peuples à disposer d'eux-mêmes.

La structure de l'institution qui fut créée à partir du Pacte comportait un Conseil (5 membres permanents et 5 non permanents), une Assemblée (54 membres et 6 commissions) et un nombre considérable de comités intergouvernementaux ou d'experts. Elle traitait des problèmes les plus variés (désarmement, communications, hygiène, coopération intellectuelle, questions économiques et financières, mandats, etc., dont une part importante a été dispersée entre les agences spécialisées dans le « système » onusien). Le nombre des fonctionnaires était extrêmement modeste : 670 personnes, dont 102 « membres de sections » (administrateurs à l'ONU).

## Les échecs et la décomposition de la SDN

Cette magnifique structure a, comme l'on sait, volé en éclats. Après une période d'illusions qui a duré à peine une dizaine d'années, la Société des Nations est entrée dans l'ère des échecs. L'encadré III fait apparaître les succès et les échecs de la SDN en matière d'établissement de la paix. Il est aisé d'y voir que les succès sont limités à des affaires mineures concernant les petits États et qu'ils se situent tous avant 1935. À partir des années trente, l'échec est permanent dans les affaires où les grandes puissances sont impliquées : le Japon envahissant la Mandchourie en 1931, l'Italie conquérant l'Éthiopie en 1935, l'Allemagne partant à la conquête des pays voisins, Autriche, Tchécoslovaquie, Pologne, en 1938, après avoir annulé plusieurs dispositions du traité de Versailles, l'Italie envahissant l'Albanie en avril 1939. Les travaux sur le désarmement avaient parallèlement échoué. La Seconde Guerre mondiale marquera la faillite définitive. Il avait donc bien été démontré que l'entente entre les grands ne pouvait être éternelle ; que la sécurité collective ne fonctionnait pas dès qu'il s'agissait de désaccords entre les grands, que la Cour de justice internationale ne pouvait pas s'occuper de différends politiques ; que la coopération économique et sociale telle qu'elle était pratiquée ne pouvait suffire à créer un climat de paix.

## III. — Succès et échecs de la SDN dans le domaine de la sécurité

• *1920. Iles Aland (Suède-Finlande).* — Revendication de la Suède sur des îles appartenant à la Finlande, mais dont la population est d'origine suédoise. Une commission SDN propose une solution acceptée par les deux parties en juin 1921 : *succès.*

• *1920. Affaire de Vilna (différend polono-lituanien).* — Le 8 octobre 1920, les troupes polonaises occupent Vilna. Le Conseil ne trouve pas de solution. En mars 1922, la Pologne annexe le territoire : *échec.*

• *1921. Haute-Silésie (Allemagne-Pologne).* — L'arbitrage du Conseil met fin à trois ans de troubles. En mars 1921, un plébiscite est organisé. Un plan de partage élaboré en septembre 1921 est accepté. Convention signée en mai 1922 : *succès.*

• *1923. Affaire de Corfou (Italie-Grèce).* — L'Italie occupe Corfou. La Grèce demande le retrait des troupes et une indemnité. Mussolini exige le versement d'une indemnité par les Grecs comme condition de son retrait. Les Grecs sont contraints d'accepter. Intervention de la SDN sans effet : *échec.*

• *1925. Conflit gréco-bulgare.* — En quatre jours, le Conseil obtient la fin des hostilités ; *succès.*

• *1920-1928. Diverses affaires de frontières et de minorités, soumises au Conseil.* — Dans plusieurs cas, la SDN réussit à éviter des conflits naissants, avec l'assentiment des parties ; *succès.*

• *1928. Affaire du Chaco (Bolivie-Paraguay).* — La SDN essaie de s'entremettre et y réussit quelque peu, mais l'affaire est réglée par la Conférence panaméricaine : *succès partiel.*

• *1931. Affaire de Mandchourie (Japon-Chine).* — Entre septembre 1931 et janvier 1932, les Japonais bombardent, puis occupent la Mandchourie et créent l'État du Mandchoukouo (mars 1932). En janvier 1932, à la requête du Japon, le Conseil envoie une commission d'enquête qui fait un rapport en octobre 1932. Les grandes lignes du rapport sont approuvées par l'Assemblée le 24 février 1933. Le 27 mars, le Japon se retire de la SDN : *échec.*

• *1932-1934. Territoire de Leticia (Colombie-Pérou).* — La SDN règle le litige entre les deux pays : *succès.*

• *1934-1935. Tension hungaro-yougoslave.* — La SDN apaise la tension entre les deux pays, à la suite de l'assassinat d'Alexandre I$^{er}$ de Yougoslavie : *succès.*

• *1932-1933. Conférence du désarmement.* — Le projet de convention élaboré de 1925 à 1930 est ignoré. Plusieurs projets de grandes puissances considérés, mais opposition franco-allemande. Plan Mac Donald, puis projet de pacte à quatre. Le 14 décembre 1933, l'Allemagne se retire de la conférence et de la SDN : *échec.*

• *1935-1936. Affaire éthiopienne.* — Le 5 décembre 1934, engagement italo-éthiopien, territoire contesté. Le 3 janvier 1935, le négus saisit la SDN ; le 3 octobre 1935, Mussolini déclare la guerre à l'Éthiopie. En octobre, la SDN adopte des sanctions contre l'Italie. Le 5 mai 1936, l'Éthiopie est annexée par l'Italie. Échec total des sanctions. La souveraineté italienne sur l'Éthiopie est reconnue en 1938 : *échec.*

• *Mars 1938. Anschluss de l'Autriche par l'Allemagne.* — La SDN ne réagit pas : *échec.*

## L'oubli de ces leçons au moment de la création de l'ONU

Or, au moment où l'ONU et son système se sont constitués entre 1942 et 1945, les pères fondateurs de la charte ont reconstitué sous un nouveau nom une institution très comparable à la SDN. Ils ont de surcroît, en raison des idées « fonctionnalistes » qui régnaient au cours de cette période, imaginé un ensemble extrêmement décentralisé d'organisations mondiales. Pour comprendre la nature de l'ensemble d'organisations mondiales qui existe en cette fin de XXᵉ siècle, il faut considérer successivement les idées sur la sécurité et celles sur la construction à long terme d'une société mondiale pacifique et intégrée.

### *Les idées sur la sécurité et le maintien de la paix*

Les leçons que les pères fondateurs ont tirées des échecs de la SDN ont consisté à penser que la sécurité collective n'avait pas fonctionné correctement parce que les articles du Pacte n'établissaient pas d'obligation explicite pour chaque État membre de participer à la répression d'un acte d'agression et que la Société n'avait pas de dents *(no teeth)*, c'est-à-dire pas d'armée lui permettant d'intervenir directement, et donc d'exercer des pressions crédibles. Accessoirement, la règle de l'unanimité appliquée au sein du Conseil de la SDN paraissait aussi critiquable : il fallait donc donner le pouvoir d'arbitrage politique aux seuls grands. Il en résulta les pouvoirs spéciaux accordés à un Conseil de onze membres, où les cinq membres permanents sont dotés du droit de veto, et les dispositions des articles 41 et 42 de la charte sur les sanctions économiques et militaires, celles de l'article 43 sur les « accords spéciaux » par lesquels les États membres devaient mettre à la disposition du Conseil de sécurité « les forces armées, l'assistance et les facilités [...] nécessaires au maintien de la paix », enfin, l'institution par l'article 47 d'un Comité d'état-major composé des chefs d'état-major des armées des cinq membres permanents. En d'autres

19

termes, au lieu de se livrer à une analyse politique des échecs de la SDN, on s'est contenté d'une critique juridico-procédurale du texte du Pacte, pour tenter de rendre celui de la charte plus contraignant et davantage centré sur les seules grandes puissances.

*Les idées sur la construction à long terme d'une société pacifique et intégrée*

Ce sont les idées dites « fonctionnalistes » qui ont conduit à la création d'agences indépendantes de l'ONU. Le fonctionnalisme est un mouvement d'idées important, dans la mesure où il reflète une intuition fondamentale sur la nature de la guerre et de la paix et sur la possibilité de création d'une identité mondiale à travers la construction d'une « société civile » internationale. L'invention de la doctrine fonctionnaliste est attribuée au professeur britannique David Mitrany qui, dans un petit livre célèbre intitulé *Un système de paix efficace (A Working Peace System)*, avait expliqué en 1943 que c'est l'association des États par « problèmes » dans des « agences fonctionnelles » tissant des liens de coopération politique qui permettrait « la croissance pacifique de la société internationale » : en faisant travailler ensemble les spécialistes d'éducation, de santé, d'agriculture, etc., on devait créer un climat d'entente au niveau mondial par-delà les frontières, préparant ainsi en quelque sorte une identité mondiale de l'*intelligentsia*.

Ces idées convainquirent Roosevelt que les agences spécialisées à établir devaient être situées aussi loin que possible de New York afin d'éviter la politisation des discussions techniques entre spécialistes, d'où la dispersion de ces agences entre Genève, Londres, Paris, Rome, Washington... Il ne s'agissait pas, enfin, de faire entreprendre par ces agences de grands programmes en commun : le fonctionnalisme mis en œuvre au plan mondial en 1945 n'avait rien de comparable à celui qui sera, quelques années plus tard, utilisé pour la construction européenne, par la création de la Communauté du charbon et de l'acier, puis de l'Euratom et du Marché commun. Il s'agissait davantage de discussions, de documents et de petits programmes très divers, sans que des objectifs communs de quelque importance eussent été définis. Au surplus, d'autres esprits que celui de Mitrany avaient en même temps contribué à imaginer que les institutions financières devaient à la fois jouir d'un statut particulier (ignorer le principe appliqué par ailleurs de l'octroi d'une voix à chaque État dans les mécanismes de prise de décision en instituant un vote pondéré en fonction du montant de la contribution, ce qui assurait la prépondérance absolue des grandes puissances) et disposer de ressources financières sans commune mesure avec celles allouées aux autres agences et à l'ONU. La fixation des sièges de la Banque mondiale et du Fonds monétaire international à Washington complétait le dispositif.

En définitive, le type de fonctionnalisme qui a été mis en œuvre entre 1943 et 1945 a eu pour effet, en séparant les organisations de Bretton Woods du reste du système, de priver l'organisation politique, en l'occurrence l'ONU, de tout moyen sérieux d'action en matière économique.

## L'explication de cette analyse

La raison pour laquelle des hommes d'État aussi intelligents et avisés ont pu se contenter d'une telle analyse représente à première vue un mystère. En fait, les raisons de cette absence de réflexion sont nombreuses.

• Il faut considérer en premier lieu que la période 1943-1945 pendant laquelle ont été élaborées la charte de l'ONU et la structure de son système d'organisations est celle où la guerre était en train de se terminer. Les chefs des gouvernements américain, britannique, russe avaient d'autres soucis que celui de la structure de l'ONU ou de celle des agences spécialisées : la conduite de la guerre elle-même, la définition du partage des zones d'influence après la victoire, le statut à accorder aux vaincus. La réflexion sur les grandes lignes d'une future organisation mondiale pouvait être laissée à des assistants bien intentionnés qui furent plus souvent des juristes ou des fonctionnaires routiniers que des historiens ou des sociologues politiques ayant quelque imagination. Par ailleurs, pendant cette même période, les contacts entre Alliés au niveau le plus élevé se sont multipliés de Téhéran (1943) à Yalta (1945) et à Potsdam (août 1945). Or, en dépit de l'âpreté des négociations, la « chimie personnelle » entre hommes d'État a joué un rôle important. L'idée qu'il existait entre grandes puissances un intérêt commun à maintenir l'ordre qu'elles étaient en train d'établir ensemble s'est développée avec d'autant plus de facilité que l'on pouvait attribuer au fascisme, au nazisme et au militarisme les échecs de la SDN pendant la période 1930-1939. Or c'est justement ce que la victoire était en train de faire disparaître. En 1945, on pouvait avoir le sentiment d'avoir rétabli une situation normale où les mécanismes de type SDN allaient pouvoir fonctionner à nouveau. Les causes qui avaient créé le nazisme et le fascisme n'étaient pas sérieusement prises en compte : il y avait eu des « méchants », mais ils étaient justement vaincus. Les frustrations identitaires des Allemands, des Italiens ou des Japonais n'ont pas été retenues. Les erreurs de Versailles ont été partiellement reconnues, mais elles n'ont pas été intégrées dans le système explicatif des phénomènes dont on avait à traiter, surtout en Amérique. *Mutatis mutandi*, on pouvait donc se croire revenu à une période comparable à celle de 1920-1930 qui avait bien démontré que, lorsqu'il y avait accord des grandes puissances, les mécanismes de prévention ou de règlements des conflits pouvaient fonctionner.

• La définition de la structure de la nouvelle Organisation des Nations unies a été laissée presque entièrement aux États-Unis. Winston Churchill avait des idées différentes de celles de Roosevelt sur la nature du problème. Il était en faveur d'un système régional, et il songeait surtout à l'Europe, dont les dissensions avaient été la cause des deux guerres mondiales. Il proposa, en février et mars 1943, l'idée de deux, puis de trois conseils régionaux, l'un pour l'Europe, l'autre pour l'Asie, le troisième pour l'hémisphère occidental, les grandes puissances pouvant être représentées dans chacun d'eux. Le conseil qu'il prévoyait pour l'Europe était un instrument de gouvernement européen dont les membres seraient, outre les grandes puissances européennes, des confédérations de petits pays (blocs scandinave, danubien, balkanique). Il avait parfaitement reconnu la difficulté fondamentale d'un système de sécurité collective puisqu'il écrivait que « seuls les pays dont les intérêts sont directement affectés par un différend peuvent être considérés comme prêts à s'impliquer eux-mêmes avec suffisamment de vigueur pour obtenir un règlement ». Mais il ne fit pas état de ses doutes au cours des discussions et se résigna assez vite à voir rejetées ses idées. Ainsi, à Dumbarton Oaks, en août 1944, c'est sur la base d'un mémorandum américain que la discussion sur la future charte s'ouvrit entre Stettinius, sous-secrétaire au Département d'État américain, Cadogan, ambassadeur britannique à Washington, et Gromyko, alors ambassadeur soviétique aux États-Unis.

Ce sont donc bien les Américains qui ont réussi, à Dumbarton Oaks, comme à Bretton Woods pour le Fonds monétaire international, à imposer leurs idées simples sur l'organisation mondiale. Et la confiance dans leurs idées était confortée par deux sentiments : la culpabilité de n'avoir pas fait partie de la SDN (qui n'avait évidemment pas pu bien fonctionner en leur absence) ; le passage de l'isolationnisme de 1919 (qui avait entraîné l'abandon de Wilson et le refus de ratification du traité de Versailles) à l'exercice d'un *leadership* mondial devait donc tout changer ; un sentiment de confiance et d'orgueil national : une institution conçue par les Américains devait inévitablement être efficace.

C'est ainsi qu'une occasion exceptionnelle de créer une organisation mondiale répondant aux besoins du monde pour la seconde moitié du XXᵉ siècle a été manquée. Il n'aurait pas dû être impossible à des hommes politiques expérimentés de prévoir que le monde allait continuer à changer. L'illusion de la victoire commune contre le nazisme et le fascisme n'aurait pas dû empêcher d'imaginer que les conceptions libérales et communistes du monde étaient incompatibles et qu'il s'ensuivrait une confrontation longue et difficile. Les pays propriétaires d'empires coloniaux, au moment même où la Grande-Bretagne accordait son indépendance à l'Inde, auraient pu imaginer que le droit des peuples à disposer d'eux-mêmes, auquel ils souscrivaient, entraînerait une décolonisation généralisée. Il n'était pas non plus impossible de prévoir que la mondialisation de l'économie, qui commençait déjà, poserait d'énormes problèmes à tous les pays.

Ce n'était donc pas un système destiné à maintenir le *statu quo* qu'il fallait inventer, mais au contraire des mécanismes institutionnels capables d'aider à gérer le changement. Ce dont le monde de 1945 avait besoin, c'était en premier lieu d'institutions permettant de développer la coopération entre pays européens, vainqueurs ou vaincus, dont les différends avaient entraîné les deux guerres mondiales, ensuite d'un instrument commode de négociation permanente au niveau mondial entre pays et peuples dont les intérêts et les idéologies étaient opposés. Cela supposait des institutions totalement différentes de la Société des Nations, qui venait de faire faillite. Les idées avancées par Churchill, même si elles n'étaient pas très précises, auraient pu fournir un point de départ pour une réflexion en profondeur. Les idées de Keynes sur un système de *clearing* pour faciliter le commerce international et le développement auraient également, pour contrôler l'évolution de l'économie mondiale, fourni des instruments plus valables que ceux qui résultèrent des propositions du représentant américain M. White. Les idées développées par Coudenhove-Kalergi et quelques autres sur la construction européenne auraient pu aussi être prises en compte.

Une tout autre architecture de l'organisation mondiale, fondée sur des ensembles régionaux de coopération, un système de représentation régional au niveau mondial, et un Conseil de sécurité à la fois économique et militaire conçu comme une table de négociation crédible pour les grandes puissances et les grands ensembles

# IV. — Les secrétaires généraux
## et la charte de l'ONU

## Les secrétaires généraux

*Trygve Lie (1896-1968):* norvégien ; ancien ministre de l'Économie ; élu en 1946 ; démissionne le 10 novembre 1952. — *Dag Hammarskjöld (1905-1961) :* suédois ; économiste, chef de la délégation suédoise à la deuxième session de l'Assemblée générale ; élu en avril 1953 ; meurt dans un accident d'avion au Congo le 17 septembre 1961. — *U Thant (1909-1974) :* birman ; ambassadeur de son pays auprès de l'ONU ; en fonctions de 1961 à 1971. — *Kurt Waldheim (né en 1918) :* autrichien, ambassadeur de son pays auprès de l'ONU ; en fonctions de 1972 à 1981. — *Javier Perez de Cuellar (né en 1920) :* ambassadeur de son pays auprès de l'ONU ; en fonctions de 1982 à 1991. — *Boutros Boutros Ghali (né en 1922) :* égyptien ; universitaire et ancien ministre des Affaires étrangères ; en fonctions de 1992 à 1996. — *Kofi Annan,* ghanéen, fonctionnaire de l'organisation (élu en 1997, réélu en 2002).

## La charte de l'ONU

Adoptée le 24 mai 1945 à San Francisco. Elle comprend un préambule et 19 chapitres divisés en 111 articles. Le préambule qui décrit les grands objectifs des Nations unies, dans un style déclamatoire, débute par : « Nous les peuples... » bien qu'il s'agisse d'une organisation intergouvernementale.

Le chapitre I complète la formulation des buts et principes. L'article 2 § 7 précise que l'ONU n'est pas autorisée « à intervenir dans les affaires qui relèvent essentiellement de la compétence nationale d'un État ». Au chapitre III, l'article 7 § 1 énumère les « organes principaux » de l'ONU : l'Assemblée générale (définie au chapitre IV), le Conseil de sécurité (chapitre V), le Conseil économique et social (ECOSOC, chapitre X), le Conseil de tutelle (chapitre XIII, articles 86 à 91), la Cour internationale de justice (chapitre XIV), le secrétariat (chapitre XV).

Le cœur de la charte se situe au chapitre VII (action en cas de menace contre la paix, de rupture de la paix et d'acte d'agression), flanqué des chapitres VI (sur le règlement pacifique des différends) et VIII (sur les accords régionaux). Comme le Pacte de la SDN, la charte repose essentiellement sur une alliance militaire qui doit assurer la « sécurité collective ». Le Conseil de sécurité (11 membres à l'origine, puis 15 en vertu d'un amendement de 1965) a 5 membres permanents désignés à l'article 23 (Chine, France, Royaume-Uni, URSS, États-Unis). Il peut « constater l'existence d'une menace contre la paix » (article 39), prendre des mesures et décider de sanctions économiques (article 41) ou une action militaire (article 42). Des forces armées doivent être mises à sa disposition par les États membres (article 43), en vertu d'accords spéciaux à négocier « aussitôt que possible » (ils n'ont jamais été établis). L'emploi de ces forces est planifié par un Comité d'état-major qui assiste le Conseil (il n'a jamais rempli cette fonction). Le secrétaire général peut (article 99) « attirer l'attention du Conseil sur toute affaire qui, à son avis, pourrait mettre en danger le maintien de la paix et de la sécurité internationale ».

La notion de maintien de la paix par interposition de casques bleus n'est pas dans la charte. Elle a été inventée par Hammarskjöld et le Canadien Lester Pearson, pour mettre fin à la guerre de Suez en 1956 (*cf.* encadré VI).

régionaux aurait pu voir le jour. Au lieu de cela, le mélange des idées reçues sur la souveraineté nationale et sur la possibilité d'une sécurité collective et de l'espoir de conserver les positions hégémoniques existantes dans les zones d'influence et les empires coloniaux (ce que l'on appela le « maintien de la paix »), aboutit, sur le plan de la sécurité, à recréer une SDN à peine modifiée. Et les idées fonctionnalistes d'établissement progressif de la paix par la collaboration internationale des techniciens et des experts justifièrent la création d'agences indépendantes, notamment dans le domaine économique et financier, dissociant ainsi le politique de l'économique. Au lieu d'établir un système de négociation et de coopération, on dressait seulement une scène de théâtre pour l'affrontement des propagandes. Le fonctionnement de l'institution ainsi créée allait, pendant plus d'un demi-siècle, mettre clairement en lumière les erreurs de sa conception.

# II / L'ONU et les problèmes de sécurité
## pendant la guerre froide. 1945-1985

### La période 1945-1955 ou la domination occidentale

Le jugement qu'Evan Luard [24]*, l'un des meilleurs historiens des Nations unies, porte sur la nature et le rôle de l'organisation pendant la décennie 1945-1955 est pour l'essentiel le suivant : « Il y a une raison majeure, écrit-il, pour laquelle l'ONU a échoué pendant cette période, c'est-à-dire n'a pas réussi à agir comme ses fondateurs l'avaient proposé, comme "un centre où s'harmonisent les efforts des nations" [...] et elle a échoué parce qu'elle n'a même pas tenté d'y réussir : elle n'était pas considérée, même par la plupart de ses membres, comme un lieu où les grandes puissances ou quelques autres négociaient les solutions de leurs différends. Elle était envisagée comme un forum public où les problèmes étaient discutés publiquement, où les opposants étaient publiquement condamnés, où les résolutions étaient publiquement proposées, où l'opinion publique était mobilisée pour la cause que l'on défendait. Elle était considérée par conséquent plutôt comme un champ de bataille que comme un lieu où l'on recherche la paix, comme un endroit où l'on marque des points plutôt que de chercher à s'entendre, comme un instrument de confrontation plutôt que de conciliation. [...] L'on dit quelquefois que les négociations qui ont lieu dans les corridors [de l'ONU] sont beaucoup plus importantes que celles qui ont lieu dans la salle du Conseil [...] et il est vrai qu'il y a quelquefois de durs marchandages dans les corridors. Mais c'est presque toujours seulement sur les termes d'une résolution, sur la

---

* Les nombres entre crochets renvoient à la bibliographie en fin d'ouvrage.

question de savoir si elle doit être plus ou moins vigoureuse, si l'on doit dire "déplore" ou "condamne", si une phrase, un mot ou une virgule devraient être supprimés en échange d'un vote favorable. »

L'analyse d'Evan Luard est valable bien au-delà de la période 1946-1955, car c'est pendant cette première décennie qu'ont été définis les rôles que l'ONU allait dorénavant jouer en matière de sécurité, soit ceux : de scène de théâtre pour la rivalité Est-Ouest ; de caisse de résonance pour la décolonisation ; de gestionnaire de cas insolubles dont les grandes puissances ne veulent plus se charger ; de couverture d'opérations de répression menées dans l'intérêt des États-Unis, et accessoirement de leurs alliés. L'encadré V permet de voir qu'elles sont aisément classables dans les quatre catégories ci-dessus.

C'est en effet comme scène de théâtre que l'ONU a commencé à fonctionner. Il s'agissait, pour les Occidentaux et pour l'URSS, de s'accuser mutuellement de mauvaise foi en public, et c'est ce qu'ils n'ont pas manqué de faire à propos de l'Iran et de la Grèce. Il s'agissait de s'assurer que la définition des zones d'influence qui avait été négociée à Yalta et ailleurs était respectée. Dès avril 1946, les Occidentaux ont donc utilisé le Conseil de sécurité pour faire savoir qu'ils souhaitaient voir les Soviétiques évacuer au plus vite l'Azerbaïdjan (résolution n° 3). Dès janvier, la délégation ukrainienne avait réclamé devant l'Assemblée générale le retrait des troupes britanniques stationnées en Indonésie. Mais en réponse à la demande occidentale sur l'Azerbaïdjan, l'URSS demanda au Conseil le retrait des troupes anglaises de Grèce. C'étaient là des escarmouches sans grande importance, mais qui auguraient désagréablement de l'usage qui serait fait des Nations unies. Il est d'ailleurs à noter que les États-Unis ont utilisé le même procédé devant l'Assemblée générale pour rappeler aux Français et aux Anglais qu'ils devaient évacuer la Syrie et le Liban.

En matière de décolonisation, le bilan de l'ONU pendant cette période reflète bien les rapports de force existants et montre la distance qui sépare le verbalisme de la charte sur le « droit des peuples à disposer d'eux-mêmes » et la pratique de la *realpolitik*. Alors que les Britanniques viennent d'accorder, en août 1947, l'indépendance à l'Inde et au Pakistan, puis en 1948 à Ceylan, la seule opération de décolonisation où l'ONU a joué un rôle utile est celle de l'Indonésie. Le Conseil de sécurité a non seulement aidé à mettre en évidence la mauvaise foi de la puissance colonisatrice, à obtenir sinon à stabiliser des cessez-le-feu, mais aussi à faciliter un règlement définitif, grâce à sa Commission de bons offices. Mais c'est une exception. Sans doute l'Assemblée générale a-t-elle commencé dès cette époque à exercer une pression dans le sens de la décolonisation en général. À partir de 1952, des résolutions de l'Assemblée demandent par exemple à la France d'accélérer l'accession à l'indépendance de la Tunisie et du Maroc, mais leur effet sur les événements de 1956, qui réaliseront effectivement cette indépendance, est difficilement mesurable. Ni l'Assemblée générale ni le Conseil de sécurité ne réagiront avec quelque vigueur au sujet des guerres ou des « opérations de police » menées contre les mouvements de libération qui se manifestent soit à l'intérieur de l'empire colonial français, soit dans les territoires portugais et britanniques à la même époque. La France réprime durement une révolte en Algérie en 1945, puis une autre à Madagascar en 1947, et surtout se lance dans une véritable guerre contre le Vietnam en novembre 1946, au mépris des accords Ho Chi Minh-Sainteny signés en mars de la même année. Il s'agit sans doute d'affaires considérées comme « relevant exclusivement de la compétence nationale d'un État » au titre de l'article 2 § 7 de la charte, mais qui méritaient sans doute mieux que le silence de l'Organisation mondiale.

C'est d'ailleurs ce même article qui est invoqué par Nehru pour régler l'affaire de l'Hyderabad, où, au lieu d'organiser un référendum pour connaître l'avis des intéressés, l'ONU se contente de légitimer l'invasion du petit État par l'Inde. L'ONU n'a pas cherché non plus à favoriser une solution démocratique du problème du Cachemire, se contentant, après que les hostilités eurent éclaté entre l'Inde et le Pakistan, de tenter de stabiliser une situation de partition. C'est aussi par solidarité entre tenants de l'ordre établi, qui ne veulent pas se gêner mutuellement dans la gestion des sphères d'influence reconnues, que les États colonisateurs ont vivement soutenu les États-Unis dans leur agression contre le Guatemala en 1954 et laissé écraser le gouvernement d'Arbenz Guzman sans lui laisser la moindre chance. C'est le même cynisme qui a présidé aux réactions du Conseil de sécurité dans les affrontements plus précis de la guerre froide dont l'ONU a eu à s'occuper. Le seul succès dans cette catégorie a été dû à l'intervention opportune du secrétaire général Trygve Lie offrant ses bons offices pour une négociation discrète qui permet de mettre fin au blocus de Berlin en 1949.

Mais pour les autres affrontements, l'ONU n'a servi en aucune manière de lieu de négociations. Les puissances occidentales ont utilisé le fait qu'elles étaient majoritaires pour tenter de démontrer au monde qu'elles avaient raison. L'URSS a résisté et utilisé son veto, seule arme d'une minorité condamnée à avoir toujours tort. Le fait qu'elle n'a pas très bien compris comment il convenait d'utiliser

## V. — Interventions de l'ONU
## en matière de sécurité entre 1946 et 1955

**Premières escarmouches
de la guerre froide**

• *Janvier-mai 1946. Iran-URSS.* — Résolution iranienne demandant le retrait des troupes soviétiques d'Azerbaïdjan : *retrait effectué en avril 1946.*

• *Février-avril 1946. Liban et Syrie.* — Résolution Mexique, Égypte, États-Unis, Pays-Bas demande retrait des troupes françaises et britanniques. Premier veto soviétique : résolution insuffisamment vigoureuse : *retraits effectués fin avril et fin août 1946.*

• *Février 1946-1954. Grèce.* — Plainte de l'URSS pour retrait des troupes britanniques. Troupes retirées en février 1947, mais guerre civile continue. Comité spécial pour les Balkans créé par CS* (automne 1947), puis commission d'observation de la paix (1950-1954) : *retrait effectué en février 1947, mais situation confuse, la guerre civile continue pendant plusieurs années.*

• *Janvier 1946. Indonésie.* — La délégation ukrainienne demande investigation sur présence des troupes britanniques en Indonésie : *proposition rejetée par l'Assemblée générale.*

**Décolonisation**

• *Été 1947-décembre 1949. Indonésie.* — Les Pays-Bas, refusant d'accorder l'indépendance à l'Indonésie, renient les accords signés (accord de Linggadjati, novembre 1946, puis du Renville, janvier 1948) et envahissent par deux fois le territoire indonésien (première et deuxième actions « de police »). Le CS vote de nombreuses résolutions pour cessez-le-feu, notamment résolution 67 du 28 janvier 1949, et crée une

commission de bons offices : *les appels au cessez-le-feu du CS ont été acceptés ; les efforts de la commission des bons offices et des médiateurs ont facilité l'indépendance indonésienne.*

• *1951-1956. Maroc.* — La situation au Maroc — répression par la France des émeutes de Casablanca en 1951, déposition du sultan en 1953, arrestations massives, etc.) a fait l'objet de plaintes au CS (rejetées) et de propositions de résolutions à l'Assemblée (acceptées). En 1956, retour du sultan et indépendance : *pression modérée exercée sur la France.*

• *1951-1956. Tunisie.* — Même type de pressions par résolutions de l'Assemblée entre 1951 et 1956 : *effet difficilement mesurable.*

**Agressions liées à la décolonisation**

• *1946-1954. Guerre d'Indochine. France-Vietnam.* — L'ONU ne s'est pas occupée de cette guerre. En mai 1954 seulement, plainte de la Thaïlande disant qu'il y a menace pour sa sécurité. Veto soviétique : *totale indifférence de l'Organisation.*

• *Juillet-septembre 1947. Hyderabad.* — Le nizam du Hyderabad saisit le CS au sujet de menaces de l'Inde contre son indépendance. Invasion indienne le 13 septembre 1947. L'Inde contraint le nizam à retirer sa plainte : *le CS a aidé à légitimer le résultat d'une invasion.*

• *1947-1954. Cachemire.* — État à population musulmane, mais avec un maharadjah hindou souhaitant son indépendance. En 1947, des révoltes musulmanes sont suivies de l'invasion de tribus Pashtan venant du Pakistan. À la demande du gouvernement, l'Inde envoie

_____

* Conseil de sécurité.

des troupes. Le CS est saisi par Nehru le *31 décembre*. Il crée une commission des Nations unies pour l'Inde et le Pakistan (UNCIP). Après de difficiles négociations, un cessez-le-feu est accepté le *25 décembre 1948*, et un administrateur nommé pour organiser un plébiscite. Des observateurs de l'ONU sont envoyés (UNMOGIP). Mais les divergences continuent sur les conditions de retrait des troupes avant plébiscite. Échec de plusieurs médiateurs successivement nommés par l'ONU. Partition de fait du pays : *échec : l'opposition de l'Inde a empêché une solution par plébiscite.*

**Guerre liée à la décolonisation**

• *1947-1951. Conflit israélo-palestinien.* — En *avril 1947*, la Grande-Bretagne annonce qu'elle va remettre son mandat sur la Palestine à l'ONU et demande qu'une session spéciale de l'Assemblée générale étudie le problème de l'avenir de ce territoire. L'Assemblée crée un comité spécial « sur la question de Palestine » qui, le *31 août*, présente deux rapports, le premier, majoritaire, proposant une partition entre Juifs et Arabes, le second, minoritaire, la création d'un État unitaire. Le *29 novembre 1947*, la partition est adoptée par l'Assemblée par 33 voix contre 13 et 10 abstentions, et une commission pour la Palestine est créée. Nombreux incidents sur place entre Arabes et Juifs. Les États-Unis proposent d'abandonner la partition et de mettre le territoire sous tutelle. Le CS se contente de demander une trêve. Le *16 avril*, une deuxième session de l'Assemblée décide l'envoi d'un commissaire municipal pour Jérusalem, qui réussit à faire respecter un cessez-le-feu dans la ville ; puis décide *in fine* de créer un poste de médiateur. Les combats continuent en dehors de Jérusalem. *14 mai 1948 :* proclamation de l'indépendance de l'État d'Israël. *15 mai :* invasion du territoire par armées arabes venant de Syrie, Liban, Égypte, Transjordanie. Le comte Bernadotte est nommé médiateur. *29 mai :* le CS demande un cessez-le-feu de quatre semaines. Israël gagne sur le terrain et le cessez-le-feu est accepté. *12 juillet :* les hostilités reprennent, un nouveau cessez-le-feu est accepté le *17 juillet*, mais les hostilités reprennent. *17 septembre :* le comte Bernadotte est assassiné ; Ralph Bunch le remplace. Une organisation de supervision de la trêve (UNTSO) est créée. Avance israélienne. Le *4 novembre*, le CS demande le retrait des forces sur les positions du 14 octobre et l'établissement d'une ligne de trêve par négociations directes (non respecté). *11 décembre :* l'Assemblée crée une commission de conciliation pour tenter de trouver une solution définitive. Le *12 janvier 1949*, des négociations à Rhodes permettent un accord d'armistice le *22 mars*. La commission organise une réunion à Lausanne entre États arabes et Israël. Le *25 mai 1950*, les États-Unis, la Grande-Bretagne et la France font une déclaration tripartite disant qu'ils agiront pour empêcher l'altération des frontières définies à l'armistice. Mais les incidents frontaliers se poursuivent. *Août 1951 :* la commission invite les parties à une conférence à Paris le *13 septembre*. Aucun progrès n'en résulte : *en approuvant la partition du territoire palestinien, l'ONU a créé l'État d'Israël. Elle n'a pas été capable de mettre au point une solution de fond en organisant des négociations entre les parties. Cas typique de problème insoluble renvoyé à l'ONU.*

**Affrontements de la guerre froide**

• *Février 1948. Tchécoslovaquie.* — Les communistes prennent le pouvoir. Le représentant permanent du précédent gouvernement saisit le CS. Veto soviétique : *le veto soviétique a empêché l'ONU d'intervenir.*

• *Juin 1948-mai 1949. Berlin.* — Le blocus de Berlin est décidé par l'URSS. Pont aérien américain. Les Occidentaux saisissent le CS. Rejet par l'URSS de toutes propositions. Trygve Lie organise une réunion informelle, et la négociation aboutit. Blocus levé le *4 mai 1949 : succès important pour le secrétaire général et la diplomatie discrète.*

• *1950-1953. Guerre de Corée.* — La partition de la Corée résulte de l'entrée en guerre, le 8 août 1945, de l'URSS contre le Japon, et d'un accord URSS-États-Unis décidant que les troupes japonaises se rendraient aux Russes au nord du 38ᵉ parallèle et aux Américains au sud. Cet accord purement militaire aboutit à deux gouvernements, l'un pro-soviétique (Kim Il Sung), l'autre pro-occidental (Syngman Rhee). Les efforts de l'Assemblée générale pour éviter la partition sont sans effet. En *décembre 1948*, l'URSS retire ses troupes du Nord, les États-Unis retirent les leurs en *juillet 1949. Début 1950 :* série d'incidents de frontière. *25 juin 1950 :* attaque générale du Nord contre le Sud. Le CS, en l'absence de l'URSS, qui laissait sa chaise vide en raison de son désaccord sur la représentation chinoise à l'ONU, demande l'arrêt des hostilités et le retrait des forces. Le même jour, Truman envoie des forces aériennes et navales en Corée du Sud. *27 juin :* nouvelle résolution du CS recommandant aux États membres « de fournir toute l'assistance nécessaire à la République de Corée pour repousser l'attaque armée ». L'URSS prétend que la résolution est nulle, en raison de son absence, mais cela reste sans effet. Le *30 juin*, deux divisions américaines sont envoyées du Japon en Corée. Des contingents de 14 États se joignent aux Américains. *7 juillet :* le CS institue un « commandement unifié » et autorise l'utilisation du drapeau de l'ONU. *1ᵉʳ août :* l'URSS décide de revenir au CS et oppose son veto à toute proposition de résolution. Sur le terrain, les Nord-Coréens conquièrent presque tout le Sud, sauf une tête de pont, puis après le débarquement américain à Inchon le *15 septembre*, les forces de l'ONU approchent du 38ᵉ parallèle. À l'Assemblée générale, une résolution américaine réclamant l'établissement de la « stabilité dans toute la Corée » et l'installation d'un gouvernement pour le pays tout entier est adoptée (45 voix contre 5 et 7 abstentions) le *7 octobre 1950*. Les Américains franchissent la frontière. La Chine menace d'intervenir, puis envoie effectivement ses troupes fin octobre pour aider le Nord. Les

Américains sont repoussés au sud du 38ᵉ parallèle. Invitée à venir discuter à New York, la Chine envoie une délégation. Dean Acheson fait adopter par l'Assemblée la résolution dite « d'union pour le maintien de la paix » (52 voix contre 5 et 2 abstentions) donnant à l'Assemblée le pouvoir de considérer les questions bloquées par un veto au Conseil de sécurité et d'autoriser l'usage de la force si nécessaire (qui transforme en fait le système de sécurité collective du chapitre VII). Au CS, une résolution demandant le retrait de la Chine est rendue inopérante par veto soviétique. L'Assemblée, saisie au nom de la résolution Acheson, ne confirme pas la résolution du CS, mais crée un groupe de trois personnes pour explorer les conditions d'un cessez-le-feu en Corée. Les Chinois, qui avancent rapidement vers le sud, refusent de discuter. D'autres tentatives de négociations avec la Chine, soutenues par l'Assemblée, échouent en raison de la rigidité américaine. Le *1ᵉʳ février 1951*, Acheson obtient de l'Assemblée le vote (44 voix contre 7 et 9 abstentions) d'une résolution condamnant l'agression chinoise, demandant le retrait de ses forces et établissant un comité de bons offices. En *février-mars*, les forces américaines avancent vers le nord et reconquièrent Séoul. Le général MacArthur, commandant en chef, fait des déclarations annonçant une action possible contre la Chine, contrairement à ses instructions. Le *11 avril*, Truman le destitue. Le *18 mai 1951*, l'Assemblée décide un embargo contre la Chine. À partir de cette date, la situation militaire se stabilise et l'idée d'une négociation gagne du terrain. Le *23 juin*, l'URSS fait savoir que le conflit pourrait être arrêté et un armistice obtenu par retrait de part et d'autre du 38ᵉ parallèle. Le *8 juillet*, première réunion à Kaesong des représentants des deux armées. Un accord préliminaire est obtenu en *février 1952*, mais le problème des prisonniers de guerre exige un an supplémentaire. L'armistice est signé le *27 juillet 1953 : l'ONU a été utilisée par les Américains et la majorité occidentale pour couvrir de son drapeau un affrontement de la guerre froide. L'absence de l'URSS du CS a facilité cette opération.*

**Agressions**

• *Juin 1954. Guatemala.* — Le Guatemala saisit le CS après agression aérienne de troupes soutenues par les États-Unis venant du Honduras et du Nicaragua. Question renvoyée à l'Organisation des États américains. Succès de l'invasion : *échec absolu. La majorité occidentale a agi de manière à faciliter l'agression au lieu de la condamner.*

**Affaires diverses**

• *1953-1954. Birmanie.* — En 1953, la Birmanie se plaint à l'ONU de la présence sur son sol de 12 000 soldats nationalistes chinois et demande qu'ils soient retirés par Taiwan. L'Assemblée demande leur désarmement et leur évacuation et répète cette résolution en 1954. Taiwan dénie sa responsabilité. Aucun effet : *cas classique d'impuissance de l'Organisation.*

• *1954-1955. Aviateurs américains prisonniers des Chinois.* — Fin 1952, 15 aviateurs américains sont abattus et faits prisonniers sur le territoire chinois. En *novembre 1954*, ils sont jugés et condamnés comme espions, dont 4 à mort. Les Américains demandent à l'ONU d'intervenir et l'Assemblée passe une résolution. Hammarskjöld demande à voir Chou En-lai, qui le reçoit du 6 au 10 janvier 1955. Négociations sur divers sujets aboutissent à libération des prisonniers le *4 août 1955* : *succès personnel du secrétaire général.*

• *1954. Quemoy et autres îles.* — L'URSS propose une résolution pour condamner les actions militaires menées depuis ces îles contre le continent chinois. Elle est refusée par 44 voix contre 5. Le CS invite la Chine communiste à se faire représenter devant lui. Chou En-lai refuse. Le CS ne prend aucune décision. Les Chinois bombardent les îles et les nationalistes en évacuent quelques-unes : *question liée à la représentation de la Chine continentale à l'ONU, qui ne sera résolue positivement qu'en 1971.*

cette arme dans l'affaire de Corée a permis aux États-Unis de mener la guerre sous le drapeau de l'ONU. Mais il ne s'est agi en aucune manière d'une application des dispositions de la charte concernant la « sécurité collective ». Au contraire, l'ONU est clairement apparue, entre 1950 et 1953, comme une organisation qui prenait partie pour l'un des deux camps de la guerre froide. On peut être surpris que l'URSS n'ait pas décidé de quitter définitivement l'organisation et qu'elle se soit contentée de boycotter le secrétaire général Trygve Lie, qui ne s'était pas caché d'appartenir au camp occidental, et de l'acculer à la démission. La guerre de Corée a très bien montré que l'ONU n'avait pas été conçue pour « établir la paix », c'est-à-dire pour faciliter des négociations avant ou pendant les conflits, mais seulement pour maintenir la paix après que l'usage de la force eut permis de trouver une solution. Enfin, l'ONU s'est efforcée de jouer un rôle utile dans la question insoluble dont les Britanniques s'étaient débarrassés, en renonçant à leur mandat sur la Palestine en 1946. Mais là encore, il ne s'est pas agi pour elle de trouver une solution de compromis capable d'éviter un conflit et de

## VI. — Interventions de l'ONU
### en matière de sécurité entre 1956 et 1965

**Agressions tendant à des conquêtes**

• *1956. Israël, Royaume-Uni et France contre Égypte. Guerre de Suez.* — *Octobre 1956 :* à la suite de nombreux incidents entre Égypte et Israël et de la nationalisation du canal de Suez par Nasser, Israël attaque l'Égypte. CS bloqué par vetos anglais et français. Assemblée générale saisie. *4 novembre :* débarquement des troupes françaises et anglaises. Résolution de l'Assemblée réclame le retrait. Sur proposition de Lester Pearson (Canada) et de Hammarskjöld, il est décidé de créer la première force des Nations unies pour le maintien de la paix, UNEF I. *15 novembre :* arrivée du premier contingent en Égypte. *Début décembre :* retrait des Français et des Anglais. *Mois suivants :* retrait par étapes des forces israéliennes. *4 mars 1958 :* canal rendu à la circulation : *c'est l'opposition des États-Unis et de l'URSS à l'intervention franco-anglaise qui a entraîné le retrait des troupes. Mais l'ONU a joué un rôle utile et créé sa première force de maintien de la paix.*

• *1956. URSS contre Hongrie.* — *22 octobre 1956 :* l'armée soviétique intervient pour réprimer mouvements de révolte en Hongrie. *27 octobre :* CS saisi par France, Royaume-Uni et États-Unis. Représentant hongrois dénie compétence du Conseil, plus veto soviétique. Assemblée générale par 50 voix contre 8 demande retrait : *dans le cas d'une agression par un membre permanent du CS, l'ONU est évidemment impuissante.*

• *1961. Inde contre Goa.* — *17 décembre 1961 :* à la suite d'incidents frontaliers, les Indiens envahissent Goa (territoire portugais). Veto de l'URSS contre un appel au cessez-le-feu. Les 600 000 habitants de Goa n'ont pas été consultés : *agression caractérisée sous prétexte de décolonisation.*

• *1961-1963. Indonésie contre Irian occidental (Papouasie-Nouvelle-Guinée).* — Territoire séparé de l'Indonésie au moment de l'indépendance. L'Indonésie porte en 1954 la question devant l'ONU. Plusieurs années de discussions en Assemblée générale qui, en 1961, adopte une résolution africaine en faveur autodétermination par plébiscite. Mais l'administration Kennedy décide de soutenir Sokarno, l'Indonésie apparaissant comme un bastion non communiste en Asie. Les Indonésiens attaquent le territoire en janvier 1962. Par accord du 15 août 1962, il est décidé que le territoire sera confié à une Autorité temporaire des Nations unies. Dès février 1963, cette Autorité transmet le contrôle du territoire à l'Indonésie. Il n'y a pas de plébiscite. Il en résulte une nouvelle guerre d'indépendance : *l'ONU a simplement contribué à substituer un pouvoir colonial à un autre.*

**Guerres civiles, avec interventions extérieures**

• *1958. Liban et Jordanie.* — En *mai 1958,* une insurrection musulmane se produit au Liban protestant contre la prétention du président Chamoun à être prolongé dans ses fonctions. *22 mai :* le Liban saisit le CS, affirmant que les insurgés sont aidés par la Syrie (unie à l'Égypte dans la République arabe unie). Le CS crée un groupe d'observateurs des Nations unies (UNOGIL), mais très insuffisant en nombre sur la frontière Syrie-Liban. Cependant, une révolution en Irak remplace Nuri Said par Kassim. À la demande du gouvernement, les États-Unis débarquent des troupes au Liban. Les Anglais font de même en Jordanie. Hammarskjöld propose de renforcer UNOGIL pour permettre le retrait des troupes américaines et d'envoyer un représentant spécial en

Jordanie, ce qui est accepté par le Conseil. Chamoun ayant renoncé à son deuxième mandat, la situation s'apaise. UNOGIL est supprimé en novembre : *l'action du secrétaire général a contribué à résoudre une crise causée par les craintes excessives des États-Unis.*

• *1960-1964. Congo (actuel Zaïre).* — *30 juin 1960* : indépendance du Congo. Le *5 juillet*, une rébellion militaire et des émeutes conduisent les Belges à intervenir pour protéger leurs ressortissants. Le *12 juillet*, les leaders congolais Kasavubu et Lumumba demandent au secrétaire général une assistance militaire. Hammarskjöld, invoquant l'article 99 de la charte, saisit le CS et obtient une résolution l'autorisant à fournir cette assistance. Il envoie très vite des contingents de pays africains et de Suède, Norvège, Italie, Grèce, Canada. Dès le *11 juillet*, Tschombé, leader du parti majoritaire au Katanga, avait déclaré la sécession de la province. Le 25 juillet, les troupes belges sont retirées, sauf au Katanga où, au contraire, elles sont renforcées. Le *26 juillet*, Hammarskjöld se rend à Léopoldville. Il examine le problème du Katanga. Le *8 août*, le CS demande le retrait des troupes belges du Katanga et l'envoi des troupes onusiennes dans la province. Tschombé pose des conditions et recrute des troupes mercenaires pour remplacer les Belges. Hammarskjöld rencontre Tschombé, en arrivant à Elizabethville avec le premier contingent de la force. En fait, Tschombé est renforcé par cette visite. Lumumba voit en Hammarskjöld un complice des Belges qui soutiennent la sécession katangaise. Le *21 août*, le CS, contre l'avis du Congo et de l'URSS, donne raison à Hammarskjöld. Le *5 septembre 1960*, Kasavubu révoque Lumumba, qui s'empresse de démettre Kasavubu. Le Congo devient un terrain de rivalité Est-Ouest, le premier soutenant Lumumba, le second Kasavubu. Andrew Cordier, représentant du secrétaire général, ferme les aérodromes (empêchant l'aide soviétique d'arriver) et clôt la station de radio de Léopoldville, aidant ainsi Kasavubu, qui a une station à Brazzaville. Hammarskjöld, quoiqu'en désaccord, soutient Cordier (la radio sera rouverte le *12 septembre*). Le CS n'ayant pas pu prendre de décision, l'Assemblée générale, le *20 septembre*, soutient l'action du secrétaire général, crée une commission de conciliation, puis, en *décembre*, soutient officiellement Kasavubu. Cependant, le Congo se décompose en divers gouvernements : Lumumba à Léopoldville, Gizenga (lumumbiste) à Stanleyville, Tschombé au Katanga et Kalonji au Kasaï. Lumumba est assassiné le *17 janvier 1961*. Le *15 février 1961*, le CS autorise l'utilisation de la force pour prévenir la guerre civile au Congo et demande le retrait des troupes étrangères et des mercenaires. Les efforts de conciliation n'aboutissent pas, mais Kasavubu désigne Ileo à la tête d'un gouvernement provisoire. À la suite d'une attaque de Tschombé, le *27 mars*, les forces de l'ONU interviennent et prennent le contrôle du territoire entre Kabalo et Albertville. *Fin avril*, les troupes onusiennes sont attaquées par des éléments non contrôlés de l'ANC (Armée nationale congolaise). De nombreuses tentatives de conciliation échouent : conférence de Tananarive en *mars 1961*, réunion de Coquilhatville *fin avril*, arrestation de Tschombé pour un mois, réouverture du Parlement, puis constitution, le *2 août 1961*, d'un gouvernement d'unité nationale (Cyrille Adoula), révocation de Gizenga en *janvier 1962*. Les autorités katangaises, refusant d'appliquer les résolutions du CS pendant plusieurs mois, et les attaques contre les troupes de l'ONU se multipliant au Katanga, Hammarskjöld vient à Léopoldville pour tenter de résoudre la crise. Il organise une rencontre avec Tschombé, et son avion s'écrase le *17 septembre 1961*, entraînant sa mort et celle de 7 membres de l'ONUC. Un cessez-le-feu est signé le *13 octobre 1961*. Mais il est violé de façon continue. Par sa résolution 169, le CS condamne, le *24 novembre 1961*, les activités sécessionnistes au Katanga et autorise le secrétaire général à utiliser la force pour obtenir le départ des mercenaires. Les hostilités reprennent le *5 décembre 1961*. De nouvelles négociations entre Adoula et Tschombé aboutissent à la déclaration de Kitona par laquelle Tschombé reconnaît la Loi fondamentale, mais il ne s'agit que de manœuvres sans lendemain. En *août*, U Thant présente un plan de réconciliation nationale, qui propose un système fédéral, puis demande aux États membres d'appliquer des sanctions contre le Katanga. Mais les troupes katangaises attaquent les positions des troupes de l'ONUC. En *décembre 1962*, les troupes de l'ONUC entreprennent de rétablir l'ordre. Une offensive en deux phases, en *décembre*, puis en *janvier*, permettent à l'ONUC d'occuper l'ensemble du Katanga, y compris la région de Kolwezi après accord avec Tschombé. En *janvier 1963*, l'intégration économique et politique du Katanga est réalisée et un accord conclu avec l'Union minière, qui avait soutenu Tschombé. Le retrait de l'ONUC s'est effectué le *30 juin 1964* : *opération exceptionnelle et par l'importance des problèmes affrontés : possibilité pour l'ONU d'intervenir dans les affaires intérieures d'un pays ; utilisation de l'Assemblée générale pour remplacer le CS bloqué par le veto ; mise de l'ONU au service de la majorité occidentale ; utilisation des casques bleus pour faire la guerre avec le risque d'être battus par l'adversaire ; capacité de l'ONU d'entreprendre des actions de ce type et rôle du secrétaire général.*

• *1962-1965. Intervention de l'Arabie Saoudite et de l'Égypte au Yemen.* — Après le renversement de l'imam le *26 septembre 1962*, une guerre civile éclate. L'Arabie Saoudite soutient les royalistes et l'Égypte, le gouvernement républicain. Envoi de troupes et d'armes de part et d'autre. Les États-Unis reconnaissent le gouvernement républicain. L'Assemblée générale fait de même. En *1964*, U Thant envoie une mission de contrôle (MONUY), forçant la décision du CS qui s'intéresse peu au problème. Mais les moyens sont très insuffisants. La guerre se développe et l'intervention égyptienne s'accroît. En *septembre 1965*, la mission de l'ONU se retire. Les

troupes egyptiennes sont retirées après la guerre des Six Jours en 1967. Mais la guerre continue dans l'indifférence générale. Finalement, le Yémen du Sud fera sécession : *échec total de l'ONU*.

• *1965. République dominicaine.* — À la suite d'une série de coups d'État, à partir de la chute de Trujillo en 1961, une guerre civile éclate entre partisans du président Bosch (régulièrement élu) et une junte militaire. Le *28 avril 1965*, les États-Unis envahissent la République pour soutenir la junte. L'Organisation des États américains est saisie du problème, en même temps que le CS. L'OEA réclame un cessez-le-feu et propose l'envoi d'une force interaméricaine, qui est constituée, mais reste essentiellement composée des troupes des États-Unis déjà sur place. Le CS approuve l'envoi d'un représentant spécial du secrétaire général. Une enquête sur les droits de l'homme par une commisssion de juristes de l'OEA révèle des situations inacceptables. Cependant que la discussion continue au CS, la guerre se termine par un « acte de réconciliation ». Des élections le *1er juin 1966* portent au pouvoir le candidat de droite Balaguer, qui reste douze ans en place : *comme pour la Hongrie, l'intervention d'un membre permanent du CS ne peut être empêchée par l'ONU. Un débat a cependant eu lieu.*

• *1953-1959 et 1963-1967. Chypre.* — À partir de 1953, la question de Chypre (colonie britannique avec population à majorité grecque et une minorité turque) est posée à l'Assemblée générale. Des incidents se produisent fréquemment. Chaque année jusqu'en 1959, des résolutions demandent une solution pacifique. En 1959, une négociation directe entre gouvernements grec et turc, puis avec les Anglais dans le cadre de l'OTAN aboutit à un accord pour un statut d'indépendance. Mais l'exercice de l'indépendance se révèle trop difficile. Makarios propose en 1963 une réforme constitutionnelle, rejetée par le gouvernement turc et la guerre civile éclate. Le CS, en *mars 1964*, crée une force de maintien de la paix (UNFICYP). Mais sans ligne de démarcation entre Grecs et

Turcs, le travail de la force se révèle difficile, et les incidents, parfois très graves, se poursuivent. Une intervention aérienne turque se produit en *août 1964*. La demande de cessez-le-feu du CS est acceptée. Mais les incidents continuent et des préparatifs militaires font craindre une guerre gréco-turque fin 1967. Tous les efforts de médiation de l'ONU échouent. Le mandat d'UNFICYP est renouvelé tous les six mois : *problème quasi insoluble légué à l'ONU par la Grande-Bretagne. Le CS ne peut établir la paix, mais stabilise une situation qui va conduire à la partition.*

• *1956-1965. Afrique du Sud.* — Pendant toute la période, l'Assemblée est concernée par la politique raciale du gouvernement. Après l'incident de Sharpeville qui fait 74 morts en mars 1960, le CS vote une résolution demandant l'abandon de la discrimination raciale et au secrétaire général d'intervenir pour faire respecter la charte. Négociations d'Hammarskjöld sans effet : *la pression anti-apartheid finira, mais beaucoup plus tard, par se révéler utile.*

• *1965. Cachemire.* — Le différend non résolu au sujet du Cachemire entre l'Inde et le Pakistan, après de nouvelles tentatives de négociations, et la multiplication des incidents en 1964 sur la ligne de cessez-le-feu, aboutit à une nouvelle guerre indo-pakistanaise. U Thant essaie lui-même de rapprocher les points de vue. Le CS ordonne un cessez-le-feu pour le *22 septembre 1965*. Il est accepté et une médiation soviétique obtient un retrait des troupes de part et d'autre de la ligne antérieure de cessez-le-feu : *l'ONU a réussi à faire accepter un cessez-le-feu. Pas de solution de fond.*

## Conflits coloniaux classiques

• *1954-1962. Algérie.* — Guerre d'Algérie 1954-1962 : la répression par la France de la révolte du Front national de libération n'a évidemment pas pu faire l'objet de discussions au CS. Le problème a été évoqué à chaque Assemblée générale à partir de 1955, mais n'a abouti qu'à des résolutions très

modérées. En 1960, toutefois, la résolution réclamant l'autodétermination pour tous les peuples africains a obtenu la majorité des deux tiers : *situation classique où un membre permanent du CS est impliqué. Mais l'ONU a contribué à faire admettre le concept de décolonisation.*

## Autres conflits

• *1959-1962. États-Unis et Cuba.* — La détérioration des relations entre Cuba et les États-Unis après l'arrivée de Castro au pouvoir en 1959 a été marquée par deux affaires importantes :
— le débarquement à la baie des Cochons, en *mars 1961*, d'exilés cubains armés par les États-Unis et soutenus par l'aviation et la flotte américaines. Militairement vainqueur, Castro n'obtient aucun soutien de l'Assemblée générale qui renvoie l'affaire à l'Organisation des États américains (qui exclut Cuba) ;
— la crise des fusées : le *22 octobre 1962*, Kennedy annonce que les États-Unis détiennent la preuve de la présence à Cuba de fusées soviétiques et il déclare le blocus complet de l'île. Le CS se réunit le *23 octobre*. U Thant envoie un message à Kennedy et à Krouchtchev, proposant une trêve et obtient des réponses conciliantes des deux. Après un échange direct de lettres entre Kennedy et Krouchtchev, les Soviétiques acceptent le retrait des missiles. Les États-Unis et L'URSS acceptent que les Nations unies supervisent le retrait, mais ce rôle est refusé par Castro : *l'ONU n'a pas joué un rôle glorieux dans la première crise. En revanche, dans la seconde, le rôle personnel d'U Thant a été certainement utile.*

• *1962-1963. Indonésie-Malaisie.* — Pour décoloniser Nord-Bornéo et Sarawak, les Britanniques s'entendent avec la Malaisie pour constituer une « Grande Malaisie ». L'Indonésie et les Philippines prétendent avoir des droits sur ces territoires. Une enquête très rapide de l'ONU conclut au rattachement à la Malaisie, légitimant une opération déjà décidée par le Royaume-Uni : *il y a* permettre à deux communautés de vivre en commun sur un même territoire, mais de trancher dans le sens souhaité par l'une des parties, quitte à contribuer à déclencher une série de guerres qui, quarante ans plus tard, ne seront pas encore terminées.

## La période 1956-1965. Tensions et guerres de décolonisation

La période 1956-1965 (*cf.* encadré VI) représente bien une phase différente de l'action de l'ONU en matière de sécurité. Elle est assez souvent présentée comme celle de la décolonisation, parce qu'elle est effectivement caractérisée par l'accession à l'indépendance d'un grand nombre de nouveaux États (et par leur admission comme membres de l'ONU). Les problèmes de sécurité liés à la décolonisation, à la résistance contre la décolonisation ou aux conséquences de décolonisations mal faites n'ont pourtant pas dans l'ensemble été très brillamment résolus par une organisation qui a au contraire été nettement dépassée par l'ampleur des problèmes ainsi posés et, le plus souvent, incapable d'y faire face. Le cas du Congo en illustre toute l'ambiguïté et la difficulté, mais ceux de Nouvelle-Guinée (Irian occidental) ou de Goa n'apparaissent pas plus simples ni surtout mieux résolus. C'est aussi une période qui voit se développer les conflits intra-étatiques (Liban, Cachemire, Congo, Jordanie, Chypre, etc.). C'est enfin une période de très forte tension (illustrée par la crise de Cuba) et d'agressions délibérées des forts contre les faibles (ou supposés tels) : France et Royaume-Uni contre Égypte, URSS contre Hongrie, Inde contre Goa, Indonésie contre Irian occidental, États-Unis contre Vietnam, France contre Algérie, États-Unis contre République dominicaine, Turquie contre Chypre.

Dans ce climat, le Conseil de sécurité a été paralysé dans tous les cas où l'un de ses membres permanents était impliqué dans un conflit (Hongrie, 1956 ; guerre d'Algérie, 1954-1962 ; République dominicaine, 1965 ; guerre du Vietnam, à partir de 1962), ou même quand il s'est agi d'un allié d'un membre permanent (Inde à Goa en 1961). Il est resté passif dans le cas de l'intervention de l'Arabie Saoudite et de l'Égypte au Yémen. L'Assemblée générale, de son côté, n'a fait que suivre les orientations données par les États-Unis dans l'affaire de la baie des Cochons en 1961 ou dans celle de l'Indonésie contre l'Irian occidental en 1962-1963. Enfin, les secrétaires généraux successifs, Hammarskjöld de 1955 à 1961, puis U Thant, feront sans doute des efforts importants, mais leurs succès personnels dans des situations difficiles sont rares et limités dans leurs effets (Hammarskjöld au Liban en 1958, U Thant dans la crise des missiles à Cuba en 1962, puis au Cachemire en 1965). Et l'action personnelle d'U Thant au sujet de la guerre du Vietnam a montré qu'un secrétaire général ne peut s'opposer à la politique d'un État membre permanent du Conseil, surtout quand il s'agit du plus puissant d'entre eux.

Sans doute l'ONU a-t-elle, au cours de cette période, inventé les forces de maintien de la paix (1re Force d'urgence des Nations unies, FUNU ou UNEF en 1956), puis commencé à se spécialiser dans leur utilisation (ONUC au Congo en 1960-1964, UNFICYP à Chypre en 1964). Mais la vaste entreprise du Congo a montré : qu'il était difficile de gérer des situations dont la complexité intrinsèque est encore aggravée par l'opposition Est-Ouest ; et que la distinction entre maintien de la paix et imposition de la paix est difficile à établir en cas de guerre civile. Au surplus, cette spécialisation même dans le maintien de la paix, qui ne pourra être utilisée que dans des cas limités, montre bien que l'ONU renonce à prévenir les guerres et même à participer à l'établissement de la paix. Enfin, le bilan en matière de décolonisation a continué, comme dans la période précédente, à n'être guère brillant (Irian occidental, Algérie). L'Assemblée générale a sans doute exercé une pression politique et morale en faveur de la décolonisation en général, notamment à travers de nombreuses résolutions (la Déclaration sur l'indépendance des peuples colonisés de 1960), par l'accélération de l'émancipation des territoires sous tutelle, par la création du Comité de la décolonisation. En d'autres termes, le rôle de scène de théâtre de l'ONU a commencé à servir à une nouvelle majorité. Mais l'Organisation n'a que très peu contribué à ce que cette décolonisation puisse s'effectuer pacifiquement.

## La période 1966-1985. Marginalisation et nouvelle majorité

Dans les vingt dernières années de la guerre froide, comme permet de le constater l'encadré VII, l'ONU a été encore plus marginalisée qu'elle ne l'avait été dans la période précédente. Cela s'explique par deux raisons fondamentales. C'est, d'une part, une période de coexistence pacifique, ou de détente, entre les deux grands. C'est à partir de 1969 que commencent les négociations directes pour aboutir au premier accord de maîtrise des armements en 1972 ; c'est aussi en 1972 que commencent les négociations d'Helsinki sur la Conférence sur la sécurité et la coopération en Europe. Les deux acteurs principaux de la guerre froide n'ont en aucune manière besoin de l'ONU pour se rencontrer. D'autre part, l'ONU échappe désormais à la domination de la majorité occidentale. Ce sont les pays en développement, la plupart récemment décolonisés, qui dominent l'Assemblée générale et qui y font adopter des résolutions revendiquant un « nouvel ordre économique international » [41]. C'est en 1964 qu'est créée la Conférence des Nations unies sur le commerce et le développement (CNUCED), fief des pays revendicateurs. C'est en 1974 que cette majorité solidaire avec les pays arabes fera adopter des résolutions dénonçant le sionisme, ce qui irritera les États-Unis. Ce sera aussi l'époque de la crise financière, créée par les États occidentaux mécontents des initiatives onusiennes... L'ONU apparaît désormais comme un lieu de confrontation Nord-Sud, donc comme un instrument moins utilisable pour les Occidentaux. Malgré la détente, les blocages traditionnels subsistent. Aussi l'ONU ne réagit-elle pratiquement pas aux affaires importantes qui vont marquer cette période : écrasement du printemps de Prague par les Soviétiques en 1968, fin de la guerre du Vietnam en 1974 par la défaite américaine, guerre Iran-Irak, invasion de l'Afghanistan par les troupes soviétiques en 1980.

Elle ne réagit pas non plus au développement des conflits intra-étatiques. À la fin de la période considérée en 1985, il existe vingt-quatre situations de guerres civiles, guérillas, rébellions armées au sujet desquelles l'ONU n'a jamais tenté d'intervenir sous quelque forme que ce soit (statistiques du SIPRI, Institut suédois de recherche sur la paix), nommément : l'Irlande du Nord, les groupes kurdes et Moudjahideen en Iran, les Peshmergas kurdes en Irak, la guérilla du Parti communiste de Malaisie, les séparatistes et communistes en Thaïlande, la guerre civile angolaise, la guerre civile au Tchad compliquée par des interventions libyenne et française, les rébellions érythréenne et tigréenne en Éthiopie, les conflits

# VII. — Interventions de l'ONU
## en matière de sécurité entre 1966 et 1985

### Conflits israélo-arabes

• *1967. Israël contre Égypte. Guerre des Six Jours.* — Le *16 mai 1967*, Nasser demande le retrait de la force d'urgence des Nations unies (UNEF). U Thant donne l'ordre de retrait. Le *5 juin*, Israël attaque l'Égypte, la Jordanie et la Syrie. Le CS demande le cessez-le-feu à quatre reprises. Il est acquis le *11 juin*, mais les Israéliens occupent le Sinaï, Gaza, Charm el-Cheikh, la Cisjordanie et le plateau du Golan. L'URSS demande au CS d'ordonner le retrait sur la ligne d'armistice de 1949, mais n'obtient pas de majorité. L'Assemblée générale, saisie, se réunit du *17 juin au 15 juillet*, mais ne fait de recommandations que sur le statut de Jérusalem. Le *22 novembre*, le CS vote la résolution 242 qui définit les principes généraux pour le règlement du conflit israélo-arabe : retrait des forces israéliennes des territoires occupés lors du récent conflit, renoncement à la belligérance, respect et reconnaissance de la souveraineté, de l'intégrité territoriale et de l'indépendance politique de chaque État de la région et droit de vivre en paix à l'intérieur de frontières sûres et reconnues. La résolution demandait aussi de garantir la liberté de navigation sur les voies d'eau internationales de la région, de réaliser un juste règlement du problème des réfugiés, de créer des zones démilitarisées! Enfin, un représentant du secrétaire général devait faciliter un accord entre les parties. U Thant désigna Gunnar Jarring. Mais aucun accord ne put être réalisé (il existait au surplus une divergence d'interprétation de l'expression « retrait des territoires occupés », le texte anglais *occupied territories*, ne semblant pas impliquer une évacuation totale). L'Égypte commença une guerre d'usure dans la zone du canal *début 1969*. En *juin 1970*, un cessez-le-feu est obtenu par le secrétaire d'État américain Rogers. Les pourparlers recommencent le *21 août 1970*, sont interrompus, reprennent en *mars 1971*, puis sont encore interrompus : *exceptionnellement, le CS a rempli un rôle fondamental de définition des conditions de la paix par sa résolution 242. Mais il n'a pas joué de rôle dans l'établissement de la paix. Tournant dans le rôle de l'ONU : un secrétaire d'État américain (Rogers) prend le rôle de peace-maker.*

• *1973. Égypte contre Israël. Guerre du Kippour.* — Le *6 octobre 1973*, les Égyptiens traversent le canal de Suez et les troupes syriennes attaquent les postes israéliens sur le Golan. Le CS se réunit du *8 au 12 octobre*, mais ne peut établir de résolution. Le *21 octobre*, les Israéliens traversent le canal et isolent la 3ᵉ armée égyptienne. Le *22 octobre*, le CS, sur proposition des États-Unis et de l'URSS, adopte la résolution 338 demandant un cessez-le-feu et la mise en œuvre de la résolution 242 ; puis, par résolution 339 du *23 octobre*, demande au secrétaire général l'envoi d'observateurs. Les combats continuent et Sadate demande aux Américains et aux Soviétiques l'envoi de troupes. Le CS, le *24 octobre*, demande un accroissement du nombre des observateurs et l'établissement d'une nouvelle force de maintien de la paix qui devient la deuxième Force d'urgence des Nations unies (UNEF II). Sa création et son établissement (7 000 hommes provenant de contingents de douze pays) mettent fin au conflit. Au cours des années suivantes, des négociations se développent entre Israël et l'Égypte en dehors des Nations unies. Sadate se rend à Jérusalem le *19 novembre 1977*. Les accords de Camp David négociés avec l'aide de Jimmy Carter sont signés le *26 mars 1979*. La mission de l'UNEF II, renouvelée huit fois, se termine le *24 juillet 1979* : *l'ONU garde son rôle de maintien de la paix après les hostilités. Elle est complètement tenue à l'écart des négociations qui aboutissent entre l'Égypte et Israël.*

• *1973-1974. Israël-Syrie.* — *Fin 1973*, sur le front syrien les combats continuent, malgré la résolution 338. Les forces occupent un saillant jusqu'au village de Saassa, sur la route de Damas à Quneitra. Les combats s'intensifient entre *mars et fin mai 1974*. Le secrétaire d'État américain Kissinger, obtient la conclusion d'un accord de désengagement entre Israël et les forces syriennes *fin mai 1974*. Les belligérants acceptent l'établissement d'une force d'observateurs de l'ONU pour le désengagement (UNDOF) de 1 250 hommes : *même situation que dans le cas précédent. L'ONU est chargée de protéger les frontières. Les négociations sont conduites par les États-Unis.*

• *1978. Israël contre Liban.* — La guerre civile libanaise, déclenchée en *avril 1975*, avait théoriquement pris fin en *octobre 1976*, avec l'élection à la présidence d'Elias Sarkis et l'établissement d'une Force arabe de dissuasion. Mais les combats n'avaient pas réellement pris fin. Ils continuent en particulier dans le sud (où la Force de dissuasion n'a pas accès en raison de menaces israéliennes), entre les milices chrétiennes et le Mouvement national libanais allié de l'OLP. Le *11 mars 1978*, un raid de l'OLP près de Tel Aviv fait 37 morts et 82 blessés dans la population israélienne. En représailles, les Israéliens envahissent le Liban dans la nuit du *14 au 15 mars* et occupent à peu près tout le sud. Le *15 mars*, le gouvernement libanais saisit le CS qui, le *19 mars*, adopte la résolution 425, demandant à Israël de retirer ses forces, et décide d'établir une force intérimaire des Nations unies au Sud-Liban. UNIFIL est établie aussitôt, atteint 4 000 hommes en *mai 1978*, 6 100 *mi-juin*. Mais des reprises d'hostilités entre Israël et les forces stationnées au Sud-Liban ont lieu en *août 1980* et en *juillet 1981*, malgré plusieurs appels au cessez-le-feu du CS. Le *6 juin 1982*, deux divisions israéliennes franchissent la frontière et entrent dans la zone occupée par l'UNIFIL. Malgré quelque résistance, les forces de l'ONU ne peuvent empêcher le passage des Israéliens. Le *6 juin*, le CS demande le retrait des troupes de l'envahisseur. Le mandat de l'UNIFIL est prolongé, bien que sa mission initiale ne puisse être remplie. Le secrétaire général organise une conférence à Ras-Naqoura, où se trouve le QG de la force *(novembre 1984-janvier 1985)*, sans résultat. Les Israéliens appliquent un plan de redéploiement et évacuent une partie du Sud-Liban, mais restent dans la région où se trouve l'UNIFIL, dont la présence demeure symbolique : *même rôle pour l'ONU de gardienne des frontières, d'ailleurs mal rempli, puisque les Israéliens traversent les lignes de l'UNIFIL pour attaquer à nouveau.*

### Agressions tendant à conquêtes

• *1968. URSS contre Tchécoslovaquie.* — En *août 1968*, les forces du Pacte de Varsovie envahissent la Tchécoslovaquie pour étouffer le « printemps de Prague ». Au CS, l'URSS utilise son veto pour s'opposer à une résolution condamnant l'invasion. Le *28 août*, Dubcek est contraint de signer à Moscou un accord avec les Soviétiques. Le délégué tchèque à New York demande la suppression de la question à l'ordre du jour du CS : *impuissance et indifférence de l'Organisation.*

• *1974 et 1980-1988. Guerre Iran-Irak.* — En *février 1974*, l'Irak se plaint au CS d'actes d'agression de l'Iran. Le secrétaire général nomme un représentant spécial, Weckman Munioz, qui facilite la conclusion entre les deux gouvernements d'un accord portant sur la frontière, l'arrêt de l'aide par l'Iran aux rebelles kurdes en Irak, l'expulsion d'Irak de Khomeiny. L'Irak attaque l'Iran en *septembre 1980*. Le *23 septembre*, le secrétaire général attire l'attention du CS et offre ses bons offices. La résolution 479 demande un cessez-le-feu. *17 novembre 1980* : Olof Palme est nommé représentant spécial. Il obtient quelques résultats sur la circulation des navires dans le Chatt el-Arab, sur échange de prisonniers en *1981* et *1982*.

Une mission de l'ONU confirme et dénonce l'utilisation d'armes chimiques. En *1984*, des missions d'enquête de l'ONU s'installent à Bagdad et à Téhéran. En *1987*, la résolution 598 demande un cessez-le-feu. Elle servira de base à l'établissement de l'armistice en *juillet 1988* : *l'ONU ne peut empêcher huit ans de guerre très meurtrière, mais réussit à servir de prétexte pour conclure la paix.*

• *1979-1980. URSS contre Afghanistan.* — *27 décembre 1979* : entrée des troupes soviétiques en Afghanistan. Le CS ne peut produire de résolution ; l'Assemblée générale est saisie et demande, le *11 janvier 1980*, « le retrait immédiat et inconditionnel des troupes étrangères » (104 voix contre 18 et 18 abstentions). Waldheim nomme comme « représentant personnel » Perez de Cuellar, qui a de nombreux contacts avec les parties. En *1982*, Perez de Cuellar, nommé secrétaire général, désigne Diego Cordovez pour le remplacer. Les négociations entre gouvernements afghan et pakistanais se poursuivent pendant six ans. Elles permettent aux Soviétiques de sauver la face quand Gorbatchev décide de mettre fin à l'invasion. Les accords de Genève seront signés en *avril 1988* (ils comportent la création d'une mission de bons offices des Nations unies en Afghanistan et au Pakistan : l'UNGOMAP) : *l'ONU, ici aussi, n'empêche pas neuf ans de guerre et d'occupation. Elle sert encore de prétexte à la décision de retrait. Mais la guerre civile continue au-delà de cette date.*

### Agressions limitées

• *1971. Inde-Pakistan.* — *Novembre 1971* : hostilités entre l'Inde et le Pakistan sur la frontière est, en relation avec un mouvement d'indépendance au Pakistan oriental (répression après élections favorables aux autonomistes, millions de réfugiés bengalis en Inde). Le secrétaire général attire l'attention du CS et adresse un message aux gouvernements des deux pays. *3 décembre* :

hostilités le long de la ligne de cessez-le-feu au Cachemire. Le CS ne pouvant aboutir à une décision le *4 décembre*, l'Assemblée par résolution 2793 (XXVI) demande le cessez-le-feu et le retrait des troupes. État indépendant du Bangladesh proclamé le *16 décembre. 17 décembre* : cessez-le-feu accepté. *Juillet 1972* : accord de Simia entre Pakistan et Inde sur une « ligne de contrôle » au Cachemire. UNMOGIP est maintenue avec le même mandat, mais le nombre d'observateurs est réduit de 44 à 36 : *l'ONU ne peut servir qu'à légitimer ce qui a été décidé en dehors d'elle.*

• *1974. Turquie contre Chypre.* — Les premières discussions entre les deux communautés sont organisées sous l'égide de l'ONU en *1968*. La situation se détériore en *1972-1973*. Le *15 juillet 1974*, renversement de Makarios par une junte militaire grecque. Le *20 juillet* : invasion partielle de l'île par les Turcs. Le CS demande un cessez-le-feu et une négociation entre Grecs, Turcs et Anglais (résolution 353). L'UNFICYP est renforcée (passe de 2 078 à 4 444 personnels militaires). La conférence tripartite de Genève (*25-30 juillet*) aboutit à un accord sur la zone de sécurité, l'évacuation des enclaves turques par les Grecs et l'échange de prisonniers. *14 août* : les hostilités reprennent. *16 août* : le CS demande un cessez-le-feu qui est accepté. *Février 1975* : établissement d'un État turc fédéré de Chypre dans la zone turque. Les négociations entre les deux communautés reprennent à Vienne en *1975* et continuent depuis avec diverses interruptions : *l'ONU aide à stabiliser une situation de partition obtenue par les armes.*

### Décolonisation

• *1961-1975. Angola.* — En *1961*, les révoltes contre les Portugais se développent. Trois mouvements de libération apparaissent : le MPLA (Mouvement populaire pour la libération de l'Angola), le FNLA (Front national pour la libération de l'Angola), et l'UNITA (Union nationale pour la totale indépendance de l'Angola). Le MPLA d'Aghostino Neto a le soutien de l'URSS, l'UNITA de Savimbi le soutien occidental. En *1975*, le Portugal conclut avec les trois mouvements un accord qui prévoit des élections. La guerre civile se déclenche. En *novembre 1975*, le Portugal suggère que les Nations unies assurent l'autorité dans le pays, puis proclame l'indépendance. Le MPLA prend le pouvoir avec l'aide des troupes cubaines et le soutien soviétique. La guerre civile se poursuit. Les Nations unies n'interviennent pas : *absence de l'ONU dans le processus de négociations et dans la guerre civile. Son intervention ne se fera qu'en 1989 (UNAVEM). Ce ne sera pas un succès.*

• *1965-1971. Rhodésie (Zimbabwe).* — La minorité blanche proclame l'indépendance du pays le *11 novembre 1965*. La Grande-Bretagne saisit le CS pour lui demander de l'aider à rétablir son autorité. Le *12 novembre*, le CS demande aux États membres de ne pas reconnaître le « régime minoritaire, fasciste et illégal » de la Rhodésie du Sud. Le *20 novembre*, il recommande l'établissement d'un embargo sur les fournitures militaires et le pétrole. Cet embargo est sans efficacité, le ravitaillement se faisant par le Mozambique portugais et par l'Afrique du Sud. Le *16 décembre 1966*, le CS prescrit des sanctions obligatoires contre la Rhodésie, puis généralise le *28 mai 1968* un embargo économique total. Ces sanctions sont généralement appliquées, mais restent inefficaces. L'Assemblée générale demande des sanctions contre l'Afrique du Sud et le Portugal. Mais le CS refuse. Le *4 novembre 1971*, accord entre le gouvernement britannique et la Rhodésie sur la création à long terme d'une société multiraciale en Rhodésie : *premier exemple de sanctions économiques décrétées par l'ONU. Mais échec.*

• *Mai 1967-janvier 1970. Biafra.* — *Mai 1967* : le Biafra proclame son indépendance à l'égard du Nigeria. Il est reconnu par quelques pays africains. Mais ni le secrétaire général, ni le CS ne réagissent devant la répression nigérienne qui entraîne des massacres et une

famine, pourtant largement médiatisés. Le Biafra capitule le *13 janvier 1970* : *silence de l'ONU au sujet d'un mouvement d'indépendance.*

• *1966-1978. Namibie.* — En *1966*, l'Assemblée générale a mis fin au mandat de l'Afrique du Sud sur le territoire. *Fin 1972*, Martin Escher (Suisse) est nommé représentant de l'ONU pour tenter de rechercher une solution. Mais sa mission échoue (rapport favorable à l'Afrique du Sud). Le CS condamne l'Afrique du Sud et recommande des élections libres (résolution 385 de 1971). En *1977*, les membres permanents du Conseil constituent un groupe de contact. En *1978*, un plan est établi par les Nations unies pour l'organisation d'élections contrôlées (schéma d'un Groupe d'assistance transitoire des Nations unies, UNTAG) et un représentant spécial désigné (Marti Atissari, Finlande), et approuvé par le CS. Au cours d'une conférence à Genève en *1981*, l'Afrique du Sud refuse de prendre date. Le plan ne sera appliqué qu'en *1989* : la solution préparée par l'ONU pendant cette période servira à l'établissement d'une solution quelques années plus tard.

• *Afrique du Sud (apartheid).* — L'ONU a continué à appliquer pendant toute cette période une pression constante contre l'*apartheid*, par des moyens classiques : en *1973*, adoption d'une convention sur la suppression et la punition du crime d'*apartheid* ; en *1974*, en interdisant à l'Afrique du Sud de siéger à l'Assemblée et en admettant les mouvements de libération nationale comme observateurs, en déclarant 1982 Année internationale de mobilisation pour les sanctions contre l'Afrique du Sud. Le CS avait en *1976* établi un embargo sur les armes : *pression utile de l'ONU, qui se révélera efficace quelques années plus tard.*

## Questions diverses

• *1979. Otages américains en Iran.* — Le *4 novembre 1979*, les étudiants iraniens s'emparent de l'ambassade des frontaliers et les guérillas entre Somalie et Éthiopie, la RENAMO contre le gouvernement au Mozambique, la rébellion des Sikhs en Inde, les guérillas séparatistes dans trois provinces pakistanaises, les Tamouls contre le gouvernement au Sri Lanka, des rébellions diverses en Birmanie, les rébellions du FRETILIN et des Papous en Indonésie, les Khmers rouges contre le gouvernement et les troupes vietnamiennes au Cambodge, l'Armée de libération du peuple soudanais au Soudan du Sud, des dissidents au Zimbabwe, les Forces armées révolutionnaires en Colombie, le mouvement d'Alfaro Vive en Équateur, le Front national de libération Farabundo Marti au Salvador, l'Unité nationale révolutionnaire au Guatemala, les Contras contre le gouvernement sandiniste au Nicaragua, le Sentier lumineux au Pérou. Cette généralisation des conflits intra-étatiques est un phénomène majeur du monde moderne dans le domaine de la sécurité. Le fait que l'ONU ne s'en préoccupe même pas et ne tente pas de remettre en question l'interdit de l'article 2 § 7 de sa charte (*cf.* encadré VII) montre bien son impuissance à assurer sa fonction de recherche de la paix.

Elle a au surplus un bilan navrant en matière de décolonisation. Bien que le secrétaire général Waldheim ait écrit dans ses Mémoires [32] qu'à la demande du gouvernement portugais en 1974 il a eu la chance — aidé par une forte équipe onusienne — de pouvoir donner des conseils utiles pour la décolonisation du Mozambique et de l'Angola, les guerres civiles qui ont depuis ravagé ces pays ne témoignent pas en faveur de la qualité des conseils donnés. L'ONU sera finalement spécialisée dans des fonctions subalternes de surveillance de lignes de fronts stabilisées à Chypre et au Cachemire et de gardien des frontières d'Israël, par la création de plusieurs « forces de maintien de la paix ». Même si l'on doit reconnaître au Conseil de sécurité le mérite d'avoir défini les conditions de la paix entre Israël et les Palestiniens par sa résolution 242 du 22 novembre 1967, complétée quelques années plus tard par sa résolution 338, en fait toutes les activités de négociations difficiles, mais nobles et prestigieuses (même si peu efficaces), seront monopolisées par les

États-Unis (Rogers, Kissinger, puis Carter). En définitive, à la fin de cette période, l'ONU en tant qu'organisation de sécurité est donc tout à fait marginalisée.

## Les limites à l'action des trois organes principaux en matière de sécurité

Pour qu'il soit possible de comprendre le « rôle de l'ONU » en matière de sécurité depuis 1946, il est indispensable de dénoncer trois idées généralement reçues. La première consiste à considérer l'ONU comme un acteur indépendant sur la scène mondiale. La deuxième à croire que l'ONU a été effectivement chargée à la fois du maintien de la paix *(peace keeping)* et de l'établissement de la paix *(peace making)*. La troisième à penser que l'ONU a au moins réussi à jouer un rôle essentiel en matière de décolonisation. Ces trois idées, très largement répandues, créent une confusion que les descriptions qui précèdent ont peut-être réussi à commencer à dissiper. L'expression « rôle de l'ONU », le désir d'évaluer « ses succès » ou « ses échecs » semblent impliquer que l'organisation dispose d'une indépendance réelle par rapport aux acteurs de la scène internationale que sont les gouvernements. Cette illusion entretenue par le vocabulaire est tenace. Or, pour comprendre en quoi et comment l'existence de l'organisation a pu influencer ou non les solutions, bonnes ou mauvaises, apportées aux problèmes de sécurité, il faut la décomposer entre ses divers éléments. En matière de sécurité, l'ONU, c'est le secrétaire général (et le secrétariat), le Conseil de sécurité et l'Assemblée générale. (S'il est exact que le Conseil de tutelle a joué un petit rôle au cours des premières années, il est possible d'ignorer ensuite son existence.)

Or les caractéristiques de ces trois organes sont les suivantes. Le secrétaire général (avec le secrétariat qui l'aide dans sa tâche, notamment les « représentants spéciaux » qu'il charge parfois de missions variées) ne dispose que d'un degré de liberté et d'influence très limité. Il ne peut réellement agir que dans le cadre des missions qui lui sont confiées par le Conseil de sécurité. Sans doute peut-il les provoquer lui-même, l'article 99 de la charte lui accordant le pouvoir de saisir le Conseil en cas de menace contre la paix et la sécurité. Il peut aussi théoriquement, dans le cadre des missions de « bons offices » ou par son action à la tête des opérations décidées par le Conseil, faire preuve de grands talents de diplomatie ou au contraire compromettre leur efficacité. Mais en dépit d'un désir très vif de la part de tous les secrétaires généraux successifs d'être utilisés au maximum et de faire preuve de leur génie propre, ils ont été très peu impliqués dans des négociations de quelque ampleur et leur degré d'initiative a été très limité. Les conditions dans lesquelles ils sont choisis, qui exigent l'accord des cinq membres permanents du Conseil, n'ont jamais permis de porter à ce poste des personnalités connues avant leur élection pour leur force de caractère ou leur originalité.

Par ailleurs, le Conseil requiert pour pouvoir adopter une résolution l'accord de neuf de ses membres, y compris ses cinq membres permanents (article 27 § 3 de la charte) et, de son côté, l'Assemblée a besoin pour toute question importante d'une majorité des deux tiers (article 18 § 2). Ni le Conseil ni *a fortiori* l'Assemblée ne disposent de forces armées à leur disposition. Ni l'un ni l'autre de ces organes ne sont donc des acteurs. Ce sont des instances dans lesquelles les gouvernements des États membres, et en particulier ceux des pays les plus puissants, exercent leur influence pour obtenir la couverture officielle de l'ONU pour des actions déterminées. L'ONU est bien en ce sens une scène de théâtre, où les véritables acteurs cherchent à obtenir la majorité, mais non un lieu de négociations où s'élaboreraient de véritables solutions aux problèmes de sécurité existants. Ou, plutôt, ce n'est que très exceptionnellement, en l'occurrence quand les deux grands se trouvent par hasard d'accord pour agir dans le même sens et qu'il n'y a pas d'opposition fondamentale des autres membres permanents, que le Conseil a pu aboutir à la définition de solutions communes.

Les expressions « maintien de la paix » *(peace keeping)*, « établissement de la paix » *(peace making)* et « diplomatie préventive » sont si souvent utilisées pour décrire les activités de l'ONU qu'elles peuvent laisser croire que l'organisation a pu effectivement remplir ces divers rôles, qu'elle est conçue pour le faire et que c'est sur l'ensemble de ces activités qu'il faut juger son action. Théoriquement, en effet, il vaut mieux prévenir un conflit et résoudre le différend qui le provoque autour d'une table de négociations que de contribuer seulement à y mettre fin, après qu'il a détruit des pays et fait quelques milliers ou centaines de milliers de morts. Il vaut mieux aussi, lorsqu'on réussit à arrêter des hostilités par un cessez-le-feu, trouver une solution de fond qui permette l'établissement d'une paix durable que de se contenter de stabiliser momentanément un armistice provisoire. Enfin, il ne suffit pas, pour établir la paix après une guerre, de définir les éléments d'une solution définitive, encore faut il réussir à la mettre en application. En d'autres termes, les travaux et les efforts capables de contribuer à l'établissement de la paix dans le monde sont des types les plus divers et d'une efficacité variée et il n'est pas contestable que les secrétaires généraux, le Conseil et l'Assemblée ont tenté d'utiliser à divers moments de l'histoire l'un ou l'autre de ces cheminements possibles vers la paix. En revanche, il est non moins contestable que les efforts pour l'établissement de la paix ont été à l'ONU, dans la grande majorité des cas, inefficaces ou inexistants, et que l'organisation, de par la volonté de ses États membres, a été cantonnée dans le « maintien de la paix », après que la force eut imposé l'ordre des vainqueurs.

## Remarques finales sur l'ONU-sécurité pendant ces quatre décennies

En définitive, c'est pour les mêmes raisons d'inadéquation structurelle et politique que l'ONU, succédant à la SDN, a, pendant les quarante premières années de son existence, persévéré dans l'échec en matière de sécurité. Elle est restée exclue des problèmes et des événements les plus importants, malgré les efforts déployés par les secrétaires généraux successifs et par les diplomates au Conseil de sécurité ou à l'Assemblée générale, pour tenter de faire prendre en compte leur existence. Alors que se développe la guerre froide, sa course aux armements nucléaires et conventionnels, ses alliances militaires opposées, ses guerres dans le tiers monde, que l'Europe occidentale entreprend, dès les années cinquante, de construire une Communauté par bien des aspects supranationale, que le monde change par l'émergence de la puissance économique du Japon et de l'Allemagne de l'Ouest, par le développement des firmes multinationales et de l'« interdépendance », qu'à partir de 1970 les deux grands négocient en matière de maîtrise des armements, que dès 1975 la Conférence sur la sécurité et la coopération en Europe invente le concept de « mesures de confiance », l'ONU ne réussit à jouer en matière politique qu'un rôle très limité.

En fait, l'organisation n'a été qu'un instrument parmi d'autres, aux mains de ses États membres, et particulièrement des plus puissants d'entre eux. Elle n'a jamais été au centre de la scène internationale. Chaque gouvernement a tenté de l'utiliser au mieux de ses intérêts dans le jeu diplomatique international — les États-Unis pour lutter contre l'URSS et le « communisme international », puis pour contenir les pays du tiers monde jugés envahissants et peu respectueux des intérêts des grands ; l'URSS pour sa propagande ; les mouvements de libération pour être reconnus ; les gouvernements des pays accédant à l'indépendance pour se légitimer, même et surtout s'ils ne sont pas démocratiques. Les pays de l'Europe de l'Ouest, dont la France, occupés par la construction de la Communauté qui les concerne et les intéresse infiniment plus que l'ONU, se sont sentis longtemps embarrassés et plutôt gênés par l'organisation mondiale, surtout pendant la décolonisation. Les seules questions sur lesquelles l'ONU a permis d'obtenir un consensus (et encore, souvent par abstention) ont été ces quelques problèmes dont la « communauté internationale » a consenti à se débarrasser, parce que trop difficiles, quasi insolubles ou peu importants. Devant cette situation, les initiatives des secrétaires généraux successifs sont restées soit inefficaces, soit contestées, et la seule invention ayant quelque originalité — les casques bleus — a été finalement très peu utilisée pendant cette période. Quant aux problèmes de fond concernant la sécurité et le désarmement, l'ONU n'a contribué pratiquement ni à leur étude ni à leur solution, alors que l'un des caractères essentiels de cette période, c'est justement que des solutions partielles mais fondamentales commencent à leur être apportées — en dehors de l'ONU.

Tous les auteurs parlent des « illusions » de 1945 et des « désillusions » qui ont suivi. L'explication simple qui en est généralement fournie est que l'opposition entre les États-Unis et l'URSS a abouti au blocage du Conseil de sécurité, qui requérait pour fonctionner que l'accord des cinq membres permanents se perpétue après la victoire. Il y a certes là une raison majeure, mais l'explication reste un peu courte et simplifie outrancièrement le problème. En réalité, c'est la structure même de l'organisation qui n'a pas permis d'en faire un instrument utile de négociations.

Dans le monde d'après 1985, où l'éclatement de l'URSS et l'abandon du communisme vont laisser la place à l'hégémonie des États-Unis d'Amérique, cette structure, inchangée en dépit de quelques efforts pour l'utiliser davantage, ne deviendra pas plus efficace.

# III / L'ONU-économique et sociale

Il est difficile de comprendre ce que fait l'ONU dans les domaines économique, social et humanitaire, et encore davantage de porter un jugement sur l'efficacité de son action. Alors que les noms mêmes des autres organisations mondiales indiquent leurs domaines d'activité, la spécificité du rôle de l'ONU, dont l'opinion sait vaguement qu'elle s'occupe de droits de l'homme, d'environnement, de développement de questions humanitaires et de statistiques, est beaucoup moins aisée à cerner.

Le fait que sa structure soit complexe, avec une Assemblée générale, un Conseil économique et social, une Conférence sur le commerce et le développement (CNUCED), d'innombrables comités, des grands programmes comme l'UNICEF (Fonds des Nations unies pour l'enfance), le Haut-Commissariat aux réfugiés (HCR) ou le Programme des Nations unies pour le développement (PNUD), sortes de filiales de la maison mère, dont il est difficile de définir le degré de subordination, rend l'image de l'organisation encore plus floue. À cela s'ajoutent quelques idées reçues, au moins par l'opinion occidentale, selon lesquelles l'ONU, chargée de coordonner les organisations de son « système », serait exagérément politisée et dotée d'une bureaucratie lourde et inefficace, qui coûterait beaucoup trop cher.

Pour comprendre les raisons de cette complexité, de cette diversité et de cette mauvaise réputation, il faut tout d'abord prendre une vue plus précise des grandes catégories d'activités et de la structure qui les soutient. Les encadrés VIII, IX, X et XI sont destinés à fournir cette vue d'ensemble, en évitant les descriptions fastidieuses. Le premier montre la place de l'ONU parmi les organisations mondiales ; le deuxième fournit la liste des principaux organes intergouvernementaux ou d'experts ; le troisième celle des

# VIII. — Les organisations mondiales

Les chiffres indiquent l'ordre de grandeur des budgets-programmes, base annuelle, en millions de dollars pour l'année 2001 (document A/57/265 du 25 juillet 2002). Ceux précédés de + représentent des fonds extrabudgétaires (fonds volontaires). Pour l'ONU, les fonds concernant les opérations de maintien de la paix n'ont pas été indiqués. Ils varient suivant les années ; après avoir atteint 3 milliards de dollars en 1993, ils sont actuellement de l'ordre de quelques centaines de millions.

*Organisations dépendant des ministères des Affaires étrangères : délégations auprès de l'ONU à New York, Genève, Vienne, Nairobi et des sièges des commissions économiques régionales + experts venant des capitales sur des sujets précis.*

• **Organisation des Nations unies** (ONU) (New York, Genève, Vienne, Nairobi) y compris les Commissions économiques régionales pour l'Europe (Genève), pour l'Amérique latine (Santiago), pour l'Asie et le Pacifique (Bangkok), pour l'Afrique (Addis Abeba), pour l'Asie occidentale (Beyrouth)    *1 136 + 588*

• **Grands programmes rattachés à l'ONU**
— Office des secours pour les réfugiés de Palestine dans le Proche-Orient (UNRWA, Gaza et Amman)    *+ 349*
— Programme des Nations unies pour le développement (PNUD, New York)    *+ 642*
— Programme alimentaire mondial (PAM, Rome)    *+ 1 873*
— Programme des Nations unies pour l'environnement, Rome (*inclus dans l'ONU*)

— Haut Commissariat pour les réfugiés (HCR, Genève)    *+ 752*
— Fonds des Nations unies pour l'enfance (UNICEF, New York) *+ 1 285*
— Fonds mondial de la population (New York)    *+ 359*
— Fonds international pour le développement de l'agriculture (IFAD, Rome)

*Organisations dépendant des ministères techniques*

• **Grandes agences**
— Organisation internationale du travail (OIT, Genève)    *217 + 114*
— Organisation pour l'éducation, la science et la culture (UNESCO, Paris)    *272 + 260*
— Organisation mondiale de la santé (OMS, Genève)    *427 + 531*
— Organisation pour l'alimentation et l'agriculture (FAO, Rome)    *325 + 320*
— Organisation pour le développement industriel (ONUDI, Vienne)    *60 + 88*
— Agence internationale de l'énergie atomique (AIEA, Vienne)    *249 + 106*

• **Agences techniques**
— Union postale universelle (UPU, Berne)    *21 + 7*
— Organisation météorologique mondiale (OMM, Genève)    *36 + 24*
— Union internationale des télécommunications (UIT, Genève)    *103 + 11*
— Organisation maritime internationale (IMO, Londres)    *28*
— Organisation de l'aviation civile internationale (OACI, Montréal)    *57 + 45*
— Organisation mondiale de la propriété intellectuelle (OMPI, Genève)    *205*

services du secrétariat ; le quatrième énumère les programmes de l'ONU dans le plan à moyen terme 1992-1997. Ces tableaux montrent la complexité et la diversité des activités économiques, sociales et humanitaires de l'ONU, mais pour obtenir une vue plus précise de la nature de ces activités, il est indispensable de décrire d'abord le climat d'irréalisme dans lequel vit l'organisation. On y parle avec assurance d'objectifs grandioses mais inaccessibles, et l'on se préoccupe peu qu'ils ne soient jamais atteints. On y pratique quotidiennement ce que l'on appelle à juste titre la « langue de bois » : on y multiplie les résolutions ambitieuses dont la majorité n'a guère de sens et dont les conclusions les plus énergiques consistent à demander un nouveau rapport au secrétaire général. On y approuve des principes que nul n'a l'intention de respecter. On y adopte des plans à moyen terme formulés de façon si vague qu'il est impossible d'en vérifier l'exécution. On y écrit des milliers de pages de rapports que personne ne lit.

Ce climat, qui n'est pas propre à l'ONU, puisqu'on le retrouve aussi dans quelques-unes des grandes agences spécialisées comme l'UNESCO ou la FAO, a été maintes fois décrit (*cf.* l'encadré XIII). Mais il faut aussi analyser les causes de ce phénomène.

**Les raisons de l'irréalisme onusien**

En fait, cette situation résulte de la combinaison de plusieurs facteurs. Le premier, et le plus important, est le peu d'intérêt porté par les grandes puissances et par les pays développés en général aux activités économiques et sociales de l'ONU. Les problèmes économiques et sociaux des pays pauvres sont le dernier des soucis

## IX. — Principaux organes intergouvernementaux ou d'experts traitant des questions économiques, sociales, humanitaires et juridiques (à l'exclusion des conseils exécutifs des grands programmes)

• **Débat général et coordination d'ensemble**
— Assemblée générale et ses commissions, dont pour les affaires économiques : 2e commission ; les affaires sociales : 3e commission ; les questions administratives et financières : 5e commission ; les questions juridiques : 6e commission.
— Conseil économique et social (ECOSOC).
— Comité d'experts sur les questions budgétaires et administratives (CCQAB).
— Comité du programme et de la coordination (CPC).

• **Affaires juridiques**
— commission du droit international ; commisssion des Nations unies pour le droit commercial international ; tribunal administratif des Nations unies ; commission sur les stocks de poissons.

• **Coordination des politiques et développement durable**
— commission du développement durable ; conseil consultatif de haut niveau ; commission du développement social ; commission de la condition de la femme ; comité de la planification du développement ; comité des sources d'énergie nouvelles et renouvelables ; Conseil mondial de l'alimentation ; comité pour l'élimination de la discrimination à l'égard des femmes.

• **Information économique et sociale**
— commission de la statistique ; commission de la population (+ groupes d'experts) ; groupe intergouvernemental d'experts sur questions relatives à la Sécurité sociale ; commission préparatoire à la conférence de 1994 sur la population.

• **Services d'appui et de gestion pour le développement**
— Comité des ressources naturelles ; réunion d'experts sur le programme d'administration et de finances publiques ; groupe spécial d'experts sur coopération internationale en matière fiscale.

• **Droits de l'homme**
— *Cf.* encadré XVI sur la machinerie des droits de l'homme.

• **CNUCED**
— Conseil du commerce et du développement ; commission permanente des produits de base ; groupes intergouvernementaux d'experts du minerai de fer, de la bauxite, du tungstène ; réunions *ad hoc* sur minéraux industriels ; commission des sociétés transnationales ; commission de la science et de la technique au service du développement ; groupe d'experts sur pratiques commerciales restrictives ; groupe de travail spécial sur investissements et apports financiers ; commission permanente sur l'atténuation de la pauvreté ; commission permanente de la coopération économique entre pays en voie de développement (PVD) ; groupes de travail spéciaux sur l'expansion des débouchés des PVD, sur la comparaison de l'expérience des pays en matière de privatisations ; sur les ajustements structurels de nature à faciliter la transition vers le désarmement ; comité spécial des préférences ; commission permanente de développement du secteur des services ; groupe d'experts du transport multimodal ; réunion d'experts des pays donateurs avec les représentants des pays les moins avancés ; groupe de travail sur l'interaction des investissements et du transfert de technologie ; groupe de travail sur les normes internationales de comptabilité (+ groupes d'experts) ;

groupe consultatif commun CNUCED-GATT.

• **Coopération régionale pour le développement**
— Les cinq commissions économiques régionales et leurs comités techniques.

• **Grandes conférences**
— L'ONU organise régulièrement des grandes conférences sur des sujets couvrant à peu près tous les secteurs où il existe des problèmes mondiaux :

population, environnement, personnes âgées, développement, questions sociales, produits de base, etc. En 2000 par exemple trois conférences traitent de « crime et justice », « développement social » et « racisme et xénophobie ». Ces conférences sont généralement accompagnées de « forums » réunissant les représentants des organisations non gouvernementales intéressées par le sujet. Ces forums contribuent à créer une opinion publique internationale.

# X. — Effectifs du secrétariat prévus au budget 2004-2005

*Les chiffres distinguent les effectifs de rang « administrateur » et les personnels d'exécution (« services généraux ») (ceux précédés du signe +).*
(document A/ 58/ 6 du 11 avril 2003)

Direction politique générale et coordination : 70 + 79

Affaires de l'assemblée générale et services de conférences : 954 + 971

Affaires politiques : 141 + 125

Désarmement : 36 + 22

Opérations de maintien de la paix : 51 + 311

Utilisations pacifiques de l'espace extra-atmosphérique : 15 + 5

Cour internationale de justice : 46 + 53

Affaires juridiques : 85 + 60

Affaires économiques et sociales : 310 + 230

Afrique : nouvel agenda de développement : 18 + 5

Commerce et développement : 228 + 167

Environnement : 30 + 18

Établissements humains : 48 + 76

Prévention du crime et justice criminelle : 27 + 10

Contrôle international des drogues : 52 + 15

Développement économique et social en Afrique : 222 + 349

Développement économique et social en Asie et dans le Pacifique : 180 + 316

Développement économique et social en Europe : 194 + 310

Développement économique et social en Amérique latine et dans les Caraïbes : 194 + 310

Développement économique et social en Asie occidentale : 137 + 107

Droits de l'homme : 122 + 57

Protection et assistance aux réfugiés : 2

Réfugiés palestiniens : 94 + 19

Assistance humanitaire : 44 + 17

Information publique : 265 + 473

Services de gestion générale : 386 + 1 249

Service de vérification interne : 62 + 30

Soit au total 9 288 fonctionnaires (dont 3 950 administrateurs et 5 332 services généraux) Il faut ajouter à ces effectifs ceux financés sur fonds extrabudgétaires qui sont prévus dans le même budget au nombre de 7 527, dont environ deux tiers sont affectés au Haut Commissariat aux réfugiés. Le total général est de 16 815 postes.

# XI. — Les programmes de l'ONU dans le plan à moyen terme

*Grand programme I. Maintien de la paix et de la sécurité. Désarmement et décolonisation*
*1.* Bons offices, diplomatie préventive, rétablissement de la paix, maintien de la paix, recherche, collecte et analyse d'informations. *2.* Affaires politiques et affaires du Conseil de sécurité. *3.* Affaires de l'Assemblée générale. *4.* Département des affaires politiques. *5.* Questions de Palestine. *6.* Élimination de l'*apartheid*. *7.* Désarmement. *8.* Utilisations pacifiques de l'espace.

*Grand programme II. Droit international*
*9.* Droit international. *10.* Droit de la mer et affaires maritimes.

*Grand programme III. Coopération internationale pour le développement économique et social*
*11.* Questions et politiques générales, y compris la coordination. Afrique, situation économique critique, redressement et développement.

*Grand programme IV. Coopération économique internationale pour le développement*
*12.* Questions et politiques relatives au développement mondial. *13.* Commerce et développement. *14.* Expansion du commerce, promotion des exportations et développement des secteurs des services. *15.* Pays en développement les moins avancés, sans littoral et insulaires, et programmes spéciaux. *16.* Environnement. *17.* Science et technique au service d'un développement durable. *18.* Population. *19.* Ressources naturelles. *20.* Énergie. *21.* Administration et finances publiques. *22.* Établissements humains. *23.* Sociétés transnationales. *24.* Statistiques.

*Grand programme V. Coopération internationale pour le développement social*
*25.* Questions et politiques mondiales dans le domaine social. *26.* Intégration des groupes sociaux. *27.* Promotion de la femme. *28.* Contrôle international des drogues. *29.* Prévention du crime et justice pénale.

*Grand programme VI. Coopération régionale pour le développement économique et social*
*30.* Coopération régionale pour le développement en Afrique. *31.* Coopération régionale pour le développement en Asie et dans le Pacifique. *32.* Coopération régionale pour le développement en Europe. *33.* Coopération régionale pour le développement en Amérique latine et dans les Caraïbes. *34.* Coopération régionale pour le développement en Asie occidentale.

*Grand programme VII. Droits de l'homme, libertés fondamentales et affaires humanitaires*
*35.* Promotion et protection des droits de l'homme. *36.* Protection internationale des réfugiés et assistance aux réfugiés. *37.* Secours en cas de catastrophes et atténuation des effets des catastrophes et programmes spéciaux d'urgence.

*Grand programme VIII. Information*
*38.* Information.

*Grand programme IX. Services de conférences*
*39.* Services de conférences et bibliothèque.

*Grand programme X. Services administratifs*
*40.* Direction administrative et gestion. *41.* Gestion des ressources humaines. *42.* Planification des programmes, budget et finances. *43.* Services généraux. *44.* Services destinés au public.

des gouvernements et souvent de l'opinion publique des pays riches. Et quand se posent des problèmes considérés comme sérieux, parce qu'ils ont des répercussions sur les pays riches eux-mêmes — tels ceux de la dette —, c'est en dehors des Nations unies qu'il est entendu qu'ils seront traités. Ne font exception à cette règle que quelques domaines où il est estimé que l'ONU peut rendre des services aux pays développés, tels la population, la drogue, l'environnement, les droits de l'homme (considérés comme arme politique) ou l'aide humanitaire.

L'indifférence des pays développés à l'égard des programmes concernant directement ou indirectement le développement se traduit par des comportements très précis : le refus d'accorder les ressources financières nécessaires pour aborder sérieusement les problèmes et le peu d'importance attribuée à la qualité du personnel du secrétariat.

Mais cette indifférence doit être camouflée. Aucun gouvernement de pays riche ne tient à avouer officiellement qu'il se désintéresse du sort des pauvres et des déshérités. Il est donc important de prétendre que l'on soutient les « idéaux de la charte » et les efforts de l'organisation en faveur des pays en développement. D'où la propension aux grandes déclarations cachant l'immobilisme, et parfois l'hostilité, sous de grands mots. Cette idéologie officielle de soutien à l'ONU n'empêche pas les diplomates occidentaux de critiquer sévèrement le secrétariat ou de mettre en question les attitudes revendicatives des gouvernements des pays pauvres.

Mais les représentants des pays en développement ont, de leur côté, d'autres raisons de soutenir officiellement l'organisation et d'apprécier son verbalisme. Ils appartiennent dans la plupart des cas à la bourgeoisie dirigeante. Ils sont essentiellement préoccupés de défendre la légitimité de régimes souvent peu démocratiques, d'affirmer le caractère sacré de la souveraineté nationale de définir les conditions qui assureraient à leurs pays, grands ou petits, l'accès au pouvoir de décision dans les instances internationales. Ils ont donc intérêt à fournir à leurs gouvernements et à leur opinion publique la preuve que l'ONU sert leurs intérêts. L'adoption de résolutions formulant une idéologie qui donne bonne conscience aux gouvernements des pays pauvres les auréole de préoccupations sociales et qui tend à rejeter les responsabilités de toutes leurs difficultés sur la politique des pays occidentaux, est donc pour eux tout bénéfice.

À ces raisons politiques s'en ajoute une de nature intellectuelle. Il est extrêmement difficile de dominer la « dimension mondiale » des problèmes. Les esprits sont habitués à traiter de problèmes nationaux, dont on connaît assez bien les principales données, et que l'on peut analyser avec les instruments fournis par sa propre culture. Au plan mondial, la situation est tout à fait différente. Le traitement approfondi de questions posées à ce niveau exige des efforts considérables. Il est évidemment plus simple de faire semblant de les considérer comme solubles en utilisant des concepts vagues et qui n'engagent à rien. Toutes ces raisons convergentes expliquent l'irréalisme et l'usage immodéré du verbalisme. Ce n'est pourtant pas là l'explication qui en est généralement fournie, surtout dans les pays occidentaux.

## L'explication officielle des défauts de l'ONU

Comme nous venons de le voir, la plupart des acteurs de l'ONU, diplomates du Nord ou du Sud, mais aussi, bien entendu, secrétaire général et fonctionnaires du secrétariat, ont intérêt à ce que l'on présente sous un jour favorable les activités de l'organisation. Une propagande tous azimuts, soutenue par un département de l'Information disposant d'un budget relativement très important, tend à présenter tous les programmes comme également sérieux. Et les documents produits par l'ONU sont évidemment la principale source d'information des universitaires chargés d'expliquer la structure complexe de l'ONU à leurs étudiants. Mais comme il est clair que cette propagande dépasse son but, il faut aussi expliquer les défauts et les échecs de l'organisation.

Il en résulte que sont généralement acceptées dans les pays occidentaux plusieurs idées fausses. En font partie notamment : l'idée qu'il existe un « système » des Nations unies ; celle du « coût exagéré » des programmes de l'organisation ; celle que la « bureaucratie » de l'ONU prolifère d'elle-même et est responsable de tous les échecs de l'organisation ; celle que le manque de compétence dans certains secteurs du secrétariat serait due essentiellement aux règles de distribution géographique qui contraignent à recruter trop de fonctionnaires dans les pays en développement (dont le niveau ne serait pas comparable à ceux des pays riches) ; celle, enfin, qu'il est indispensable et possible de définir des « priorités ».

## L'absence de « système »

La plupart des ouvrages consacrés à l'ONU contiennent un organigramme représentant au centre de la page une sorte de grande fleur dont l'Assemblée générale représente le centre, et les pétales le Conseil de sécurité, le Conseil de tutelle, le Conseil économique et social, la Cour internationale de justice et le secrétariat. Il en émane des rayons montrant la dépendance, à l'égard de cet énorme organe central, d'un nombre considérable de petites unités : les six grands programmes et les quinze agences spécialisées représentées sur un pied d'égalité, qu'il s'agisse de l'Union postale universelle, du Fonds monétaire international ou de l'Organisation météorologique mondiale. Le tout semble destiné à donner l'impression d'une grande ONU omnipotente dirigeant un monde de petites agences subordonnées. On ne saurait fournir une image plus inexacte du rôle de l'ONU et de ses relations avec les autres organisations mondiales et, par omission, avec ses États membres.

L'encadré VIII tente de donner une vue plus exacte de ces organisations. Y sont classées par catégories : les organisations incluses dans le budget des Nations unies, mais disposant d'un certain degré d'autonomie ; les grands programmes, qui sont en quelque sorte des filiales de l'ONU ; les grandes agences, dont des attributions dépassent souvent le secteur officiel de leur compétence et dont les budgets et les effectifs sont relativement importants ; les agences techniques, étroitement spécialisées ; les organisations de Bretton Woods, qui sont, en raison de leurs pouvoirs, beaucoup plus importantes que l'ONU dans le domaine économique ; enfin l'OMC (Organisation mondiale du commerce) en charge des négociations sur le commerce.

Toutes ces agences ou programmes, à l'exception des commissions économiques régionales et de la CNUCED, qui dépendent directement du secrétaire général, sont en fait indépendants les uns des autres. Les chefs de leur secrétariat n'ont de comptes à rendre qu'à leur conseil d'administration (dont ils sont les élus). Et les organisations mondiales n'étant pas considérées aux yeux des gouvernements comme ayant une importance fondamentale, il n'existe, bien entendu, aucune coordination au niveau des États membres entre les politiques qu'ils préconisent à la FAO, à l'OMS, au FMI ou à l'ONU.

La seule coordination effective concerne les questions de personnel pour l'ONU et les agences spécialisées (à l'exception des organismes de Bretton Woods), dans la mesure où elles sont dotées d'un « régime commun » en matière de rémunérations, de grades et, pour quelques-uns, de règles de gestion. Mais le fait qu'il faille une machinerie lourde et permanente pour s'assurer que ce régime est bien respecté démontre que même en ce domaine l'harmonisation des pratiques ne va pas de soi. Le renforcement continu des

## XII. — Organes chargés de « coordonner » les activités des organisations mondiales

### Conseil économique et social (ECOSOC)

Organe principal de l'ONU dont la composition et les fonctions sont définies par les chapitres IX (articles 55 à 60) et X (articles 61 à 72) de la charte. Depuis 1973, compte 54 membres, élus pour trois ans. Il fait faire des études sur les questions économiques, sociales, culturelles, éducatives et de santé. Il fait des recommandations sur les droits de l'homme. Il est l'organe principal chargé de la coordination des activités de l'ONU et de celles des agences spécialisées.

### Comité consultatif sur les questions administratives et budgétaires (CCQAB)

16 membres nommés en raison de leurs qualifications et de leurs compétences. Établi en 1946 par l'Assemblée générale, il examine les budgets et les comptes de l'ONU et des agences spécialisées et conseille l'Assemblée sur toutes les questions administratives et financières. Ses observations sur les budgets des agences ne sont pas contraignantes pour leurs conseils exécutifs.

### Comité du programme et de la coordination (CPC)

34 membres élus pour trois ans par l'Assemblée sur proposition de l'ECOSOC. Établi en 1962 par l'ECOSOC. Il est chargé d'examiner les programmes de l'ONU tels qu'ils sont présentés dans le plan à moyen terme, de recommander un ordre de priorités, de développer des procédures d'évaluation, d'éviter les doubles emplois et d'assister l'ECOSOC dans ses fonctions de coordination. Il examine à cette fin, secteur par secteur, les programmes des agences spécialisées. Il doit coopérer avec le CCQAB et le Corps commun d'inspection.

### Conseil de coordination des chefs de secrétariats des organismes des Nations unies (CCS) nouvelle dénomination du CAC (comité administratif de coordination)

Composé du secrétaire général et des chefs de secrétariat des agences spécialisées, de l'AIEA et des organisations de Bretton Woods. Créé en 1946 par l'ECOSOC, il doit superviser les accords passés entre l'ONU et les agences, et s'assurer que les activités de tous ces organes sont coordonnées. Les réunions, de deux jours chacune, ont lieu trois fois par an. Il dispose d'une machinerie importante de sous-comités qui est périodiquement réorganisée, et dont fait partie le CCAQ.

### Comité de coordination des questions administratives (CCAQ)

Composé des représentants des chefs de secrétariat de l'ONU et des agences. Est chargé de la coordination en matière de questions de personnel et de finances.

### Commission de la fonction publique internationale (CFPI)

Établie en 1974, composée de 15 experts indépendants nommés par l'Assemblée générale. Doit faire des recommandations à l'Assemblée pour la réglementation et la coordination des conditions de service pour l'ONU, les agences spécialisées et tous organes participant dans le « système commun du personnel » des Nations unies.

### Corps commun d'inspection (CCI)

Établi en 1961 sur une base temporaire, puis définitive en 1976. Composé de 11 inspecteurs ayant une expérience dans les questions financières et administratives, servant à titre personnel et nommés pour cinq ans (renouvelables une fois) par l'Assemblée générale. Les inspecteurs ont les plus larges pouvoirs d'investigation sur tous les problèmes concerning l'efficacité et le bon usage des fonds. Ils peuvent proposer des réformes et faire des recommandations tendant à améliorer la gestion et à garantir une meilleure coordination. Leurs rapports, signés individuellement, sont destinés aux organes exécutifs de l'ONU et des agences (les chefs de secrétariat présentant leurs observations).

**Résidents coordinateurs du PNUD**

Les chefs des bureaux de terrain du PNUD sont chargés de coordonner les projets de tous les organes de l'ONU et des agences dans le cadre du « programme par pays ».

**Vice-secrétaire général**

En 1997, le poste de directeur général du développement, qui était chargé de coordonner les activités économiques et sociales, a été supprimé et remplacé par la création d'un poste de « vice-secrétaire général ».

**Coordinateur des affaires humanitaires**

Poste créé en 1992. Coordonne théoriquement les activités humanitaires de l'ONU, du HCR, du PAM, de l'UNICEF, etc.

---

mécanismes chargés de coordonner n'a abouti qu'à une complication de plus en plus grande, en n'obtenant que de maigres résultats. Des programmes concurrents continuent d'exister, par exemple à l'UNESCO et à l'ONU en matière de science et de technologie, à la FAO et à l'UNESCO en matière d'enseignement agricole. Les politiques d'ajustement du FMI ont longtemps ignoré les préoccupations sociales de l'OIT, de l'UNICEF et de l'ONU. Depuis 1997 et surtout depuis la Déclaration du millénaire (*cf.* ci-dessous « Le domaine du développement » p. 76), un effort nouveau pour coordonner les programmes de l'ONU et de ses agences et grands programmes a été entrepris. Une réforme tendant à une formulation commune des programmes d'action sur le terrain, lancée par le secrétaire général (document A/51/950 du 14 juillet 1997), a institué l'établissement d'un document appelé « bilan commun de pays » (désigné par son sigle anglais CCA). Ces bilans communs n'ont toutefois entraîné ni une véritable intégration de programmes ni une meilleure coordination avec les autres acteurs (programmes bilatéraux, Banque mondiale), qui disposent d'ailleurs de ressources financières beaucoup plus importantes.

## L'insuffisance des ressources financières

La deuxième idée fausse est que l'ONU coûte trop cher à ses États membres, et qu'il est indispensable de faire des économies pour éviter le gaspillage. En fait, l'examen des problèmes posés par le financement des activités de l'organisation est essentiel pour comprendre le jeu des forces politiques à l'ONU. Il n'est sans doute

pas surprenant que les pays les plus riches aient utilisé l'arme financière dans le débat idéologique qui les opposait aux pays pauvres.
L'utilisation de cette arme s'est accompagnée de la mise au point
d'une idéologie destinée à en justifier l'usage. Il est toutefois
important de mesurer le degré d'hypocrisie ainsi atteint. Les faits
sont les suivants.

• Le montant de l'aide publique au développement (APD)
accordée par les pays riches aux pays pauvres s'est élevé en 2001 à
52 milliards 336 millions de dollars. La part attribuée aux organismes du système des Nations unies sur ce total est très faible : elle
s'élève à 5 milliards 233 millions de dollars, soit exactement le
dixième. Sa répartition entre les activités humanitaires (HCR) et
celles de développement (notamment PNUD, PAM, UNICEF,
Fonds de la population, etc.) ne laisse pour l'ONU elle même que
des montants dérisoires. Les budgets bilatéraux d'aide (États-Unis
11,3 milliards, Japon 9,85 milliards, Allemagne 4,9 milliards,
France 4,5 milliards), qui sont utilisés dans le cadre des politiques
étrangères des donateurs, sont sans commune mesure avec les
montants mis à la disposition de l'ONU.

• Pour les activités économiques, sociales et humanitaires de
l'ONU et de ses grands programmes, les ressources provenant de
versements volontaires sont beaucoup plus importantes que les
contributions obligatoires (*cf.* encadré VIII : 1 138 millions de
dollars de contributions obligatoires, contre 5,093 milliards environ
de fonds volontaires, non compris les dépenses de maintien de la
paix). Cela confère aux États qui les dispensent le pouvoir de
financer les activités qu'ils ont choisies (et donc de renverser par
ce moyen l'ordre de priorités que l'Assemblée générale établit à
travers le vote du budget). Ce pouvoir sert à influencer le choix des
dirigeants, notamment ceux des grands programmes, filiales de
l'ONU, comme le PNUD, l'UNICEF, etc.

• Le retard dans le paiement des contributions obligatoires ou le
refus de les payer a été utilisé comme moyen de chantage pour
obtenir de l'organisation le respect d'orientations politiques déterminées. Mais les autres pays utilisent aussi, le cas échéant, des
méthodes comparables. Ainsi l'URSS et la France avaient-elles
utilisé cette arme pour manifester leur mécontentement au sujet des
méthodes suivies par Hammarskjöld au Congo en 1961.
La crise financière de l'ONU semble être devenue permanente.

• L'idéologie du « coût exagéré » de l'ONU, qui implique la critique systématique du secrétariat — lourdeur bureaucratique, trop grand nombre de fonctionnaires, incompétence d'une grande partie d'entre eux (« bois mort » qu'il faudrait élaguer), priorités qui ne seraient pas respectées, etc. — a été élaborée pour justifier les pratiques qui viennent d'être décrites et pour réduire de façon générale les activités économiques et sociales de l'ONU. Cette idéologie a réussi à convaincre l'opinion publique dans les pays riches que l'ONU coûtait trop cher aux contribuables et que sa « bureaucratie » était un modèle de gabegie, ce qui est faux, les ressources affectées à l'ONU étant ridiculement faibles eu égard aux missions ambitieuses qui lui sont confiées, et la bureaucratie onusienne n'étant ni meilleure ni pire que la majorité des bureaucraties nationales. Les diplomates eux-mêmes, y compris ceux des pays en développement, ont d'ailleurs fini par croire eux-mêmes à la propagande qu'ils étaient chargés de distribuer. En fait, c'est parce que les ressources financières sont très réduites que la plupart des programmes sectoriels sont dans l'incapacité de se fixer des objectifs concrets de quelque importance. Et comme nous le verrons ci-dessous, les ressources affectées à la coopération technique multilatérale sont d'un niveau extrêmement faible sinon ridicule par rapport à l'ampleur des problèmes posés.

### Les raisons de la complexité de la structure

La troisième idée fausse, populaire dans les pays occidentaux, consiste à accuser la « bureaucratie » onusienne d'avoir proliféré d'elle-même et d'être responsable de tous les échecs de l'organisation. En fait, la structure du secrétariat n'est que le reflet de la complexité de la structure des comités intergouvernementaux. Or ceux-ci ont été créés par les États membres, et la structure complexe qui résulte de leur accumulation historique n'a jamais été rationalisée parce que les gouvernements ne l'ont pas voulu. En fait, la prolifération des comités n'est pas un mal en soi : le nombre et la complexité des problèmes à traiter exigent qu'il y ait de nombreux lieux de rencontres et de discussion. Une structure rationnelle (compte tenu du système de représentation qui donne une voix à chaque État) comprendrait donc inévitablement au moins un comité intergouvernemental ou d'experts par programme, un organe central de type conseil d'administration ou comité exécutif (au nombre de membres restreint), enfin une Assemblée générale composée de tous les États membres supervisant l'ensemble des problèmes. Ce serait là une structure comparable à celle de la majorité des agences spécialisées.

Si la structure de l'ONU est beaucoup plus complexe, c'est pour des raisons qui, pour être historiques, n'ont rien de rationnel (cf. les encadrés IX et X). Elle est caractérisée par la multiplicité des organes centraux, ce qui entraîne soit une duplication inutile du travail, soit des séparations de fonctions non justifiées. On peut citer à cet égard :

• *La dichotomie ECOSOC-CNUCED :* le Conseil économique et social, composé de 18 États membres à l'origine, puis de 27 après 1965, enfin de 54 depuis 1973, devrait être selon la charte, qui lui consacre son chapitre X (articles 61 à 72), l'organe principal de l'organisation chargé de « provoquer des études et des rapports sur les questions internationales dans les domaine économique et social, de la culture et de l'éducation, de la santé publique et autres domaines connexes », de « coordonner l'action des institutions spécialisées », etc. La création en 1964, dans le cadre de l'ONU, de la Conférence sur le commerce et le développement (CNUCED), a en fait établi un second organe central chargé pratiquement des mêmes problèmes. Le Conseil du commerce et du développement, qui est son organe permanent, est donc concurrent de l'ECOSOC, cependant que les Conférences quadriennales de la CNUCED font double emploi avec les travaux de l'Assemblée générale.

L'établissement de cette institution est dû à des raisons historiques et politiques, les pays en voie de développement nouvellement indépendants ayant souhaité disposer d'un organe qui les représente mieux et dont le secrétariat soit davantage orienté que celui de l'ECOSOC vers leurs préoccupations concernant les règles du commerce international. Il n'en est pas moins vrai que ce sont les mêmes problèmes qui sont traités par les deux organes, sous des angles différents, et que les deux rapports annuels sur la situation économique mondiale préparés par leurs secrétariats respectifs — *Étude sur l'économie mondiale* pour l'ECOSOC et *Rapport sur le commerce et le développement* pour la CNUCED — font double emploi.

• *La duplication ECOSOC — 2ᵉ et 3ᵉ commissions de l'Assemblée générale :* l'ECOSOC aurait pu jouer un rôle utile, simplifiant le travail de l'Assemblée générale, s'il avait conservé un nombre de membres réduits et s'il avait joué le rôle d'une sorte de conseil exécutif de l'ONU. Mais du fait qu'il comprend le tiers des États membres, qu'il tient deux sessions annuelles et que ses méthodes de travail (débat général, préparations de résolutions) sont les mêmes que celles de l'Assemblée générale, il a exactement les mêmes activités que celles de la deuxième et de la troisième commissions de l'Assemblée. L'idée qu'il serait plus logique, afin d'éviter cette inutile duplication, de permettre à tous les États membres de participer à l'ECOSOC et de supprimer en conséquence les deuxième et troisième commissions de l'Assemblée, a été avancée à plusieurs reprises : elle est parfaitement rationnelle, mais ne semble avoir aucune chance d'être mise en application.

• *La séparation de l'examen des budgets-programmes entre un comité d'experts pour l'aspect financier et un comité intergouvernemental pour les programmes* est due, elle aussi, à des raisons historiques, mais elle n'est pas justifiée. L'Assemblée générale avait institué, dès 1946, un comité d'experts pour l'aider à examiner les budgets et pour lui donner des avis sur les questions financières. Le Comité consultatif sur les questions administratives et budgétaires (CCQAB) avait surtout pour mission, à l'origine, de réduire au maximum les dépenses de l'organisation et se trouvait en fait sous la domination des « gros contributeurs ». Quand l'intérêt des États membres sur la nature et le contenu des programmes s'est développé et que le souci d'en contrôler l'exécution s'est affirmé, un nouveau comité a été chargé de leur examen : le Comité du programme et de la coordination (CPC) a été créé par l'ECOSOC en 1962. Séparer l'examen des budgets de celui des programmes est tout à fait irrationnel. Or cette situation, souvent dénoncée, n'a jamais pu être corrigée [47].

• *L'absence de centralisation pour l'ensemble des activités de développement :* à la dichotomie ECOSOC-CNUCED s'ajoute la multiplicité des organes intergouvernementaux chargés de diriger les activités d'aide au développement. L'aide multilatérale, déjà morcelée du fait que chaque agence spécialisée a son propre programme, est encore divisée en ce qui concerne la contribution onusienne entre des grands programmes spécialisés par domaines d'action (population, enfants, agriculture, aide alimentaire, etc.). Or chacune de ces filiales a son propre conseil d'administration, à l'exception du Fonds de la population, qui est contrôlé par le conseil d'administration du PNUD. L'unification de ces conseils, souvent proposée pour permettre une meilleure coordination, n'a jamais été acceptée.

Cette complexité inutile se reflète sur la structure du secrétariat. Elle aboutit à un organigramme imprécis et en perpétuelle modification, à une relation irrationnelle entre l'ONU et ses « filiales », au manque de coordination, à l'absence d'un centre de réflexion, de prospective et de recherche dont l'organisation mondiale aurait un besoin impérieux.

## La nature très particulière des problèmes de personnel

Très proche de la notion de bureaucratie proliférante est celle que la raison de l'incompétence d'une partie du personnel du secrétariat serait due à la règle de « distribution géographique » qui contraindrait à recruter trop de fonctionnaires provenant de pays en développement. Il existe en effet, à l'ONU, une règle qui attribue à chaque pays un « quota » indiquant le nombre de fonctionnaires devant être recrutés parmi les nationaux. Ce quota est calculé selon une formule complexe qui fait intervenir l'appartenance à l'organisation, la population et le montant de la contribution. Et chaque gouvernement veille jalousement au respect de cette règle. Mais l'accusation portée par les pays occidentaux selon laquelle c'est la médiocrité du recrutement dans les pays en développement qui serait la cause de l'insuffisance de compétence dans certains secteurs est totalement infondée. En fait, la situation est la suivante.

• Les questions de personnel à l'ONU relèvent d'un phénomène de superposition de deux types de bureaucraties : celles des ministères des Affaires étrangères de tous les pays et celle du secrétariat international. Ce sont les diplomates en poste à New York, et non le secrétaire général, qui sont les véritables patrons du secrétariat. Ce sont eux qui, dans la 5e commission de l'Assemblée générale chargée des questions administratives et financières, déterminent les échelles de salaires et les conditions d'emploi. Mais ce sont eux aussi qui sont très souvent candidats à des postes à l'intérieur du secrétariat, surtout, bien entendu, à des postes de grade élevé. Et, d'une manière plus générale, les préoccupations des délégations concernent le niveau de leur représentation au sein du secrétariat et le soutien au recrutement de leurs candidats, compte tenu des droits que leur donnent leurs quotas.

• Le niveau moyen des diplômes détenus par l'ensemble des fonctionnaires de l'ONU est très insuffisant. Les chiffres fournis par un rapport du Corps commun d'inspection des Nations unies [54], daté de décembre 1985, montrent que « 25 % du nombre des administrateurs — fonctionnaires chargés de la conception, de la gestion, de la recherche, de la rédaction — n'ont fait aucune étude universitaire et que 10 % ont moins de trois ans d'études de ce type » ; « les niveaux de directeur (grades D1 et D2) comportent à peu près le même pourcentage de fonctionnaires sans diplômes universitaires » ; enfin, « le sens des responsabilités et les capacités de gestion ou d'analyse aux niveaux supérieurs (directeur, sous-secrétaire général, secrétaire général adjoint) varient au hasard des nominations qui sont trop souvent faites sans prendre en considération les qualifications ou l'expérience professionnelle ou administrative ». Or cela concerne toutes les nationalités.

• En dépit des nombreuses résolutions qui font référence à l'article 101 § 3 de la charte, qui parle de « personnes possédant les plus hautes qualités de travail, de compétence et d'intégrité », les délégations des États membres ne portent aucun intérêt réel à la qualité du personnel. Bien que la situation décrite ci-dessus ait été régulièrement dénoncée, notamment par les nombreux comités créés pour réformer l'ONU (*cf.* chapitre v, ces critiques n'ont jamais abouti à la définition d'une politique de personnel [42], ni en matière de recrutement, ni pour l'organisation des carrières, ni pour la formation. Les quelques tentatives pour organiser des concours nationaux, par catégories professionnelles, au niveau de grade de départ des jeunes administrateurs n'ont pas été faites avec beaucoup d'enthousiasme et le secrétariat a utilisé tous les moyens pour en contrarier les effets. Il n'a pas été possible d'introduire la rigueur dans le recrutement aux grades plus élevés ; aucun projet de formation n'a jamais pu aboutir ; et les carrières des administrateurs dépendent davantage de leurs relations personnelles que de leurs qualifications.

• Enfin, sur le plan idéologique, la confrontation entre l'Est et l'Ouest a conduit les pays occidentaux à insister sur la notion « d'indépendance de la fonction publique internationale », ce qui a inévitablement entraîné un très grand degré d'hypocrisie. La position des pays socialistes a en effet toujours été que le secrétariat international doit être composé de fonctionnaires nationaux prêtés pour des durées déterminées à l'organisation. Jusqu'à la fin des années quatre-vingt, l'URSS et les pays de l'Est ont ainsi toujours limité le temps de détachement de leurs fonctionnaires au secrétariat et se sont toujours opposés à la notion de « contrats permanents » et de carrière internationale. Cette position cynique mais franche, qui leur permettait de contrôler étroitement les activités de leurs personnels, a été vivement dénoncée par les diplomates occidentaux. Alors même que les États-Unis en particulier exerçaient des contrôles sévères sur les opinions politiques de leurs propres fonctionnaires et qu'au temps du « maccarthysme » ils avaient introduit le FBI à l'intérieur de l'immeuble de l'ONU et exigeaient du secrétaire général Trygve Lie le renvoi des fonctionnaires suspectés de sympathie pour le communisme, la notion d'indépendance du service public international est devenue un cheval de bataille des Occidentaux. Il est apparu beaucoup plus important de se livrer à ces querelles idéologiques que de porter attention aux conditions qui garantiraient un certain niveau de qualité du personnel.

• Une telle situation n'a pas permis de créer l'instrument d'analyse et d'exécution dont l'organisation aurait eu besoin pour avoir un impact réel sur quelques-uns des problèmes qu'elle avait à traiter. Sans doute y a-t-il dans le secrétariat quelques bons économistes, juristes, statisticiens, démographes et quelques administrateurs compétents et dévoués. Mais les meilleurs éléments sont confrontés à tous les niveaux de la hiérarchie avec les problèmes posés par l'incompétence de nombreux collègues, le manque de cohésion interdisciplinaire, l'absence de système convenable de développement des carrières, les pressions politiques pour les promotions. Les États membres n'ont pas donné à l'ONU les moyens de disposer d'un secrétariat dont la très haute qualité de compétence et l'homogénéité puissent être reconnues dans tous les domaines, ce qui aurait permis d'accroître sa crédibilité.

## L'impossibilité de définir des priorités

L'idée de « priorités » est très populaire dans l'opinion et chez les diplomates, parce que chacun pense avec quelque candeur que l'ONU ne devrait s'occuper que des problèmes qui lui paraissent importants. La notion de « priorités », qui signifie dans l'esprit de ceux qui l'utilisent « concentrer les ressources sur quelques objectifs judicieusement choisis et obtenir plus d'efficacité dans un nombre limité de domaines plutôt que se disperser inutilement », repose sur un malentendu. Pour que l'on puisse faire un choix entre

# XIII. — Les activités des sièges

*(Extrait du rapport du Corps commun d'inspection A/40/988 du 6 décembre 1985.)*

« Il s'agit pour l'essentiel d'études et de recherches aboutissant à l'établissement de documents, rapports et publications. Elles portent, secteur par secteur, sur l'identification de problèmes, la définition de principes et de critères, la collecte et la distribution d'informations et sont souvent difficilement dissociables des activités de soutien des projets sur le terrain ou des discussions et négociations. [...] Leurs "produits" sont les éléments de base de "programmes" décrits dans les budgets-programmes ou les plans à moyen terme, quand ils existent.

Ces programmes, pour la partie variable mais toujours importante qui concerne les problèmes de développement, contiennent essentiellement des conseils aux pays en développement sur des problèmes techniques déterminés :

— "conseiller et assister les États membres sur les moyens les plus économiques d'accroître les récoltes en utilisant les techniques d'isotopes et de radiations" (budget AIEA) ;
— "aider les États membres à améliorer la situation nutritionnelle et alimentaire de leur population" (budget FAO) ;
— "aider les États membres à mobiliser les ressources financières et humaines requises pour exécuter des projets de développement" (plan à moyen terme UNESCO, § 8033) ;
— "Développer et encourager des méthodes efficaces de planification des établissements humains et de structures et procédures institutionnelles dans les communes urbaines et rurales." (ONU, plan à moyen terme 1984-1989, § 1417).

Pour décrire l'essentiel des activités des sièges, les budgets et plans de toutes les organisations utilisent presque uniquement des formulations de ce genre : cette litanie monotone semble impliquer que les services en charge de ces problèmes ont tous un niveau d'expertise et de compétence exceptionnel dans les domaines considérés.

Cela signifie en fait que, dans des bureaux situés à New York, Genève, Vienne, Paris, Rome ou quelques autres grandes capitales, deux ou trois administrateurs (dont les niveaux de qualification et de compétence sont variables) vont établir, pour chacune de ces lignes budgétaires, des rapports qui seront distribués à un organe intergouvernemental et, dans les meilleurs des cas, à une liste de correspondants dans les services publics nationaux intéressés ; ou qu'ils vont organiser sporadiquement quelques cours de formation concernant quelques dizaines de personnes. Dans quelques cas, ces activités serviront à préparer une grande conférence pour laquelle une documentation sera établie et à laquelle assisteront des représentants des services nationaux.

En l'absence d'un système précis d'évaluation, il est impossible de déterminer si ces milliers d'activités sectorielles de tous ordres ont une influence réelle sur l'harmonisation des normes ou sur la définition des politiques des États membres. »

## La « langue de bois »

*(Extrait du rapport du Corps commun d'inspection JIU REP 85/9 de décembre 1985.)*

« L'irréalisme et le verbalisme ne sont pas limités aux textes des chartes et des constitutions. Ils jouent en permanence un rôle essentiel dans la vie des organisations. [...] Le verbalisme remplit deux fonctions distinctes, mais qui sont toutes deux nuisibles à l'image comme à l'efficacité de l'Organisation.

La première fonction est celle qui consiste à cacher par des incantations que l'on n'est pas arrivé à un accord... Le "consensus verbal" remplace ainsi la discussion réelle des problèmes et des oppositions d'intérêts. Cette fonction est assurée par les paragraphes de résolutions énonçant de grands principes ou des truismes auxquels il est d'autant plus aisé de souscrire qu'ils n'ont aucune conséquence. [...] Un exemple de formulation de ce type est fourni par le paragraphe 12 de la dernière Stratégie internationale du développement qui conseille aux gouvernements des pays membres d'en finir sans délai "avec le colonialisme, l'impérialisme, le néocolonialisme, l'ingérence dans les affaires intérieures des autres États, l'*apartheid*, la discrimination raciale, l'hégémonie, l'expansionnisme, et toutes les formes d'agression et d'occupation étrangère qui constituent des obstacles majeurs à l'émancipation et au développement des pays en développement".

La deuxième fonction du verbalisme est probablement plus nuisible encore : c'est celle dont on trouve de nombreuses illustrations dans les documents de planification et de programmation. On lit, par exemple, dans le plan à moyen terme de l'ONU pour la période 1984-1989, que les objectifs du grand programme d'administration publique consistent à "renforcer et élargir la coopération entre pays en développement en vue de permettre aux cadres de l'administration publique de s'acquitter plus efficacement de leurs tâches". Une étude approfondie de ce programme révèle que les "produits" correspondant à ces tâches ambitieuses consistent essentiellement en quelques publications sans grand intérêt, qui n'atteignent pas leurs destinataires et ne sont vendues à aucun public, en quelques réunions sans relation avec les problèmes administratifs des pays concernés, en quelques projets modestes et peu efficaces. On peut donc se demander si ce genre de programme a quelque relation avec la réalité.

On lit encore, au paragraphe 2416, chapitre 24 du même Plan à moyen terme que le programme de développement des transports doit "éliminer les goulots d'étranglement et les contraintes des pays en développement en matière de transports", "identifier les problèmes essentiels, encourager et promouvoir la coopération et la coordination au sein du système des Nations unies, faire le point des progrès réalisés par les gouvernements, diffuser des informations sur les nouvelles technologies des transports et sur les aspects institutionnels d'intérêt mondial, établir des rapports et des études en profondeur, examiner périodiquement les besoins des pays les moins avancés, etc." Or, l'unité administrative du secrétariat chargée de ces tâches dispose d'un seul administrateur. On est alors conduit à se demander ce que peuvent exactement signifier ces manifestations d'irréalisme absolu. »

des objectifs, il faudrait qu'il existe un accord sur la nécessité d'obtenir en commun des résultats précis. Or, en raison des divergences des centres d'intérêt entre pays riches et pays pauvres, des philosophies politiques opposées à l'Est, à l'Ouest et au Sud, des préférences spécifiques de telle ou telle délégation, de la difficulté de dominer de toute manière la dimension mondiale des problèmes, un tel consensus n'existe pas, ou est en tout cas extrêmement faible et très variable suivant les domaines. Dans la plupart des cas, à l'ONU, c'est la recherche d'un certain degré de consensus qui serait le seul objectif possible.

Mais on a préféré ne pas se donner ce mal. Les pays riches n'ont pas jugé utile d'opposer une résistance farouche à l'inscription à l'ordre du jour des questions les plus variées, ni même à la création de nouveaux programmes, dans la mesure où l'on se contentait d'affecter des ressources financières dérisoires aux objectifs gran-dioses qui leur étaient assignés (*cf.* l'exemple du programme des transports dans l'encadré XIII). Parallèlement, les divers comités intergouvernementaux concernés continuaient, bien entendu, à parler de priorités, à demander que la chasse soit faite aux programmes périmés ou redondants, et l'Assemblée générale a même accepté — à la suite de rapports du Corps commun d'inspection qui demandaient que l'on introduise quelque méthode dans l'élaboration des programmes et dans le contrôle de leur exécution — de se mettre au travail pour planifier, programmer, vérifier et évaluer les résultats.

Cette entreprise d'une certaine ampleur a commencé au début des années soixante-dix. Elle a consisté à transformer les budgets annuels de l'organisation, présentés par nature de dépenses, en budgets-programmes biennaux, puis à construire des plans à moyen terme de six ans, ce qui aurait dû permettre de définir des objectifs précis, à délais déterminés, dont il serait possible de mesurer l'impact. Des règlements ont été élaborés et approuvés pour définir la notion d'objectif, pour fixer des délais d'exécution, pour distinguer divers niveaux de programmation — grand programmes, programmes, sous-programmes, produits —, pour définir la structure du plan à moyen terme et le style qui devait être utilisé pour en exposer le contenu, pour créer un format acceptable et clair pour les budgets-programmes, pour déterminer les méthodes de vérification de l'exécution, puis celles de l'évaluation des résultats obtenus, bref, pour mettre de l'ordre dans les méthodes de travail, encourager la réflexion en profondeur, introduire un peu de réalisme dans les ambitions de l'organisation.

Or tous ces efforts ont été pratiquement inutiles. Des progrès formels ont été faits, mais le verbalisme et l'imprécision ont continué de régner. Les objectifs sont restés vagues et excessi-vement ambitieux. La vérification de l'exécution n'a pas intéressé les délégations. Les exercices d'évaluation ont été rares, mal accueillis quand ils étaient sincères et rigoureux, et n'ont pas servi à améliorer les méthodes. Les priorités n'ont pas été mieux définies. C'est évidemment la structure même de l'organisation et l'absence d'intérêt réel des États membres pour la plupart de ces activités qui expliquent en définitive cette situation.

## Ce qu'a fait et ce que fait l'ONU dans les domaines économique, social et humanitaire

Les descriptions qui viennent d'être faites du climat d'irréalisme dans lequel vit l'organisation, de la complexité inutile de sa structure, du jeu des forces et des propagandes idéologiques qui y prend place pourraient donner l'impression que l'ONU est inutile et inefficace dans les domaines économique, social et humanitaire. Ce serait là un jugement inéquitable. L'ONU rend quelques services. Mais ses activités en ces domaines sont d'une utilité et d'une efficacité très inégales. De cet océan d'irréalisme et de luttes de propagandes émergent des activités qui ont eu, ou qui ont, un certain impact. Il n'est pas certain, en revanche, que cet impact ait toujours été positif ni que les résultats obtenus aient échappé à des orientations idéologiques contestables que les pays les plus puissants ont réussi à imposer.

## Le dialogue politique

Un forum mondial a, par définition, une vocation universelle ; c'est inévitablement un lieu de conflits idéologiques, et l'ONU a effectivement servi à diffuser des propagandes de tous bords et sur presque toutes les questions imaginables. Toutefois, une sélection s'est opérée ; seuls quelques sujets ont été réellement discutés, sinon traités, et l'ONU s'est en fait spécialisée dans les relations Nord-Sud. L'opposition Est-Ouest qui a marqué l'histoire de l'ONU-sécurité pendant quarante ans ne s'est pas accompagnée d'un grand débat entre socialisme et capitalisme. Au contraire, sur quelques questions importantes, l'Est et l'Ouest se sont trouvés d'accord, par exemple pour limiter le rôle de l'organisation dans les domaine économique et social et pour réduire les dépenses. Il y a bien eu quelque opposition au sujet des droits de l'homme ou sur la manière d'aborder les problèmes de développement, mais le blocage Est-Ouest n'a pas joué un rôle important dans la sélection des sujets à débattre.

En fait, il n'a été traité avec quelque continuité que de la décolonisation, du dialogue Nord-Sud, du développement et du commerce, des droits de l'homme, du droit international (y compris quelques questions concernant la réglementation des armements sous le nom de « désarmement »), de la population et de l'environnement. Les préoccupations des États-Unis et des autres pays occidentaux ont été de répandre l'idéologie libérale à travers la définition d'une doctrine des droits de l'homme insistant sur les droits civiques et politiques (même si un hommage de principe devait être rendu aux « droits économiques et sociaux »), et la codification et le « progrès » du droit international afin de servir à la stabilisation de l'ordre mondial existant. Les pays riches ont aussi favorisé le développement des programmes de population (en raison des inquiétudes dues à la croissance rapide des masses pauvres du tiers monde) et, plus récemment, ceux de lutte contre la drogue (en raison du rôle des pays pauvres comme fournisseurs) et ceux concernant la détérioration de l'environnement (le développement industriel des pays pauvres en étant une cause potentielle sérieuse).

Les pays pauvres, de leur côté, ont naturellement été préoccupés avant tout par la définition de meilleures conditions pour leur développement. C'est ce domaine qui, à partir des années soixante, du fait que la majorité appartenait désormais aux nouveaux venus, a occupé le centre du débat, sous le nom de dialogue Nord-Sud. Ce dialogue, de mauvaise foi de part et d'autre, a été d'autant plus difficile qu'il s'est fondé sur plusieurs théories du développement qui n'avaient qu'un rapport lointain avec les problèmes réels. Il n'est pas surprenant qu'il n'ait abouti qu'à des compromis irréalistes et purement verbaux, qui n'ont pas réussi à cacher son échec.

Ce dialogue entre pays pauvres et pays riches n'a rien eu de comparable à celui qui aurait pu s'instaurer dans un parlement mondial où les intérêts et les revendications des peuples eux-mêmes auraient été défendus par des représentants élus. Il s'est agi d'un dialogue entre diplomates en charge des intérêts de leurs gouvernements. Ceux des pays en voie de développement ont donc dénoncé le colonialisme du passé ou le néo-colonialisme qui lui a succédé et établi un argumentaire pour des revendications concernant leurs gouvernements et non leurs peuples. Ces revendications ont abouti à l'adoption au début des années soixante-dix à de vastes et ambitieuses résolutions dont celles sur le Nouvel Ordre économique international (NOEI) et celle sur les droits et les devoirs économiques des États. Autant en a emporté le vent.

Il importe peu que ces revendications aient concerné, successivement ou à la fois, le montant de l'aide publique que les pays en développement considéraient comme leur étant due par les pays riches ou les règles qui devaient être imposées au commerce international, notamment pour stabiliser les prix des matières premières dont l'exportation était la principale ressource de la plupart d'entre eux. Il n'est même pas nécessaire de se demander si ces revendications étaient justifiées, ou si elles étaient fondées sur des théories réalistes du développement. De toute manière, ce « dialogue » était voué à l'échec. Il ne concernait que très indirectement les opinions publiques des pays riches qu'il aurait fallu sensibiliser pour qu'il débouche sur des politiques nouvelles. Et le plaidoyer des pays en développement ne concernait trop visiblement que des gouvernements pour la plupart non démocratiques, peu représentatifs des véritables problèmes de leurs peuples, peu préoccupés de questions sociales et ayant, pour beaucoup, une réputation de corruption.

Les diplomates occidentaux se sont d'ailleurs contentés de résister de façon plus ou moins passive aux demandes ainsi présentées, de continuer à verser des montants d'aide dérisoires et de ne coopérer qu'avec beaucoup de réticence aux projets concrets tels que le Fonds de stabilisation des matières premières (qui a commencé à fonctionner en 1989 à la CNUCED). Mais comme ils ont estimé qu'il fallait aussi trouver une couverture idéologique à leurs attitudes négatives et, si possible, se donner une apparence de bonne volonté, ils ont élaboré, en coopération avec le secrétariat de l'organisation, une théorie mythique du « développement » qui a été exposée dans les documents appelés *Décennies du développement*. Cette théorie, fondée essentiellement sur la notion de « rattrapage », expliquait à quelles conditions il serait possible de maintenir pour une très longue période (la quatrième « décennie » a commencé en 1990) des taux de croissance plus élevés dans les pays pauvres que dans les pays riches, leur permettant ainsi de rejoindre le niveau de vie et le modèle occidental.

Toute cette littérature n'a naturellement eu aucune influence sur les politiques suivies. Le montant de l'aide, fixé d'abord à 1 % du PNB des pays riches, puis réduit à 0,7 %, n'a jamais atteint en moyenne plus de 0,35 %. Les taux de croissance des pays pauvres n'ont, dans la grande majorité des cas, pas dépassé ceux des pays riches et, au contraire, l'écart a continué à se creuser. Les cours des matières premières ont continué à baisser ou, en tout état de cause, à fluctuer suivant les besoins du marché mondial.

Finalement le dialogue Nord-Sud, même poursuivi en dehors de l'ONU, s'est achevé sans résultat. Les économies des pays en développement, à la suite de la crise de la dette, ont été soumises aux politiques d'ajustement du Fonds monétaire international. Les aspects sociaux du dialogue, à vrai dire très peu évoqués, ont été définitivement oubliés. La manière dont l'ONU a abordé ces questions fondamentales de relations entre les pays riches et les masses pauvres du tiers monde a en définitive contribué à creuser le fossé d'incompréhension au niveau mondial.

### Développement et assistance humanitaire

Les activités de développement et celles d'assistance humanitaire de l'ONU sont dans de nombreux cas étroitement mêlées. Si les activités du HCR peuvent être classées sans hésitation dans l'humanitaire (encore que des projets de développement soient souvent établis pour les réfugiés dans des situations de longue durée), il n'en va pas de même des activités du Programme alimentaire mondial, qui distribue de la nourriture dans les cas d'urgence, mais qui tente aussi d'utiliser l'aide alimentaire pour financer des projets, ni de l'UNICEF qui contribue, elle aussi, à des mesures d'urgence, mais qui s'efforce aussi de soutenir des actions à long terme pour les mères et les enfants. Les principaux organismes qui sont chargés de ces opérations sont décrits sommairement dans l'encadré XIV. On peut classer :
— dans l'humanitaire, le Haut-Commissariat aux réfugiés (HCR), l'Agence de secours et de travaux pour les réfugiés palestiniens (UNRWA), le Département des affaires humanitaires, enfin le Fonds des Nations unies pour des activités au Soudan et au Sahel ;
— à la fois comme agences de développement et de secours d'urgence, l'UNICEF et le Programme alimentaire mondial (PAM) ;
— enfin, comme spécialisés dans les activités de développement, le Programme des Nations unies pour le développement (PNUD), le Programme des Nations unies pour l'environnement et le Fonds des Nations unies pour la population.

Il faut encore ajouter toutes les unités de programme qui, aux sièges de l'ONU, s'occupent de coopération technique (pour le développement) ou de questions sociales (pour l'humanitaire). Les ressources mises à la disposition de l'organisation et de ses filiales dans ces deux domaines sont dans l'ensemble très faibles et insuffisantes pour répondre aux besoins.


### Le domaine humanitaire

Dans la limite des ressources qui leur sont affectées, le HCR, l'UNICEF et le PAM font dans de nombreux endroits de l'excellent travail. Mais il ne peut être fait face qu'à une petite partie des situations d'urgence, d'extrême pauvreté ou d'exploitation abusive des enfants. Quelles que soient les raisons pour lesquelles l'ONU a été choisie par les gouvernements pour transmettre une partie relativement importante de l'aide aux victimes des catastrophes ou des

73

# XIV. — Organismes chargés du développement et de l'assistance humanitaire

## Le Haut-Commissariat aux réfugiés (HCR)

Créé en 1951, est en charge, comme son nom l'indique, de l'assistance aux réfugiés. Son budget, qui atteint approximativement un milliard et demi de dollars en 1993, est financé essentiellement par des contributions volontaires des États membres et par quelques sources privées (une très petite partie ne dépassant pas 30 millions de dollars est incluse dans le budget de l'ONU et donc financée sur contributions obligatoires). Le HCR négocie avec les gouvernements pour promouvoir l'adoption de mesures législatives et administratives et l'application des normes fixées par les conventions internationales ; il diffuse l'information sur les principes de protection internationale, fournit de l'assistance matérielle dans un nombre considérable de pays, facilite le mouvement des réfugiés vers les pays qui leur offrent asile, aide à assurer la protection économique des réfugiés pour faciliter leur intégration dans les pays d'accueil et contrôle l'exécution de nombreux projets.

Le statut légal, les droits et les devoirs des réfugiés ont été définis par deux conventions internationales : la Convention de 1951 et le Protocole de 1967 concernant le statut des réfugiés. Ces textes contiennent aussi des dispositions traitant du droit au travail, de l'assistance publique et de la sécurité sociale. Dans un grand nombre de domaines, les réfugiés ont le droit de recevoir le même traitement que les nationaux de leur pays d'accueil. Tout en étendant la protection internationale aux réfugiés, le HCR cherche à faciliter leur rapatriement volontaire dans tous les cas où celui-ci est ou devient possible.

L'assistance matérielle permet aux réfugiés ou aux personnes déplacées de trouver des solutions durables à leurs problèmes, qu'il s'agisse de rapatriement volontaire, d'établissement dans le pays de premier asile, de migration vers un autre pays. L'assistance pour le rapatriement volontaire peut entraîner des opérations de grande envergure ou peut se faire par le paiement des dépenses de voyage individuel. Le HCR s'occupe aussi de la réunion des familles, des réfugiés handicapés et organise des services de conseil. Le HCR a un conseil exécutif de 40 membres, qui soumet ses rapports à l'Assemblée générale. Il s'occupe d'environ 17 millions de réfugiés.

## L'agence de secours et de travaux pour les réfugiés palestiniens (connue sous le sigle anglais UNRWA)

Créée en 1949 par l'Assemblée générale, a des responsabilités particulières, qu'elle exerce dans ses bureaux de terrain de Beyrouth, Amman, Damas, la Cisjordanie et la bande de Gaza, et dans les camps de réfugiés palestiniens. Son personnel, recruté pour l'essentiel sur le plan local, est principalement composé d'enseignants (environ 13 000), de travailleurs de santé (environ 5 000), d'administrateurs et de travailleurs sociaux (environ 4 000). Dans une large mesure, les activités de l'UNRWA ressemblent à celles d'une administration nationale (en l'occurrence, l'administration d'un peuple sans territoire). Le nombre de réfugiés ainsi assistés est d'environ 2 millions. L'UNRWA a 98 unités de santé, quelques cliniques spécialisées et 26 centres dentaires. Il y a environ 340 000 élèves dans 650 écoles et des écoles de formation de maîtres. En 1982, la distribution de rations alimentaires à tous les réfugiés a été remplacée par des services de secours aux seuls réfugiés dans le besoin. Le budget de l'UNRWA est d'environ 280 millions de dollars par an (10 millions seulement proviennent du budget de l'ONU ; le reste, de contributions volontaires). Il ne semble pas que les accords d'Oslo de 1993 entre Israël et l'OLP doivent entraîner un ralentissement des opérations de l'UNRWA avant de longs délais.

## Le Département des affaires humanitaires

Établi en mars 1992 par l'Assemblée générale pour « coordonner l'assistance humanitaire du système des Nations unies », regroupe en fait les activités du bureau de l'ancien coordinateur des Nations unies pour les secours aux victimes des désastres, l'unité des programmes d'urgence spéciale, et du représentant spécial pour les affaires humanitaires en Asie du Sud-Est. Il a des bureaux à New York et Genève. Sa mission principale est de conseiller le secrétaire général sur les problèmes d'urgence. Il dispose d'un fonds spécial de secours renouvelable de 50 millions de dollars.

## Le Programme alimentaire mondial (PAM)

Établi en 1963, est une filiale commune de l'ONU et de la FAO. Il est spécialisé dans l'aide alimentaire aux pays en voie de développement et aux pays qui subissent des famines consécutives aux guerres et aux désastres. Il transporte à peu près un quart de l'aide alimentaire distribuée annuellement. Il rend aussi des services pour l'achat et le transport d'une partie de l'aide alimentaire bilatérale. Son budget annuel atteint approximativement 1,6 milliard de dollars. C'est l'Afrique subsaharienne qui reçoit la plus grande part de cette aide, mais le PAM travaille dans le monde entier. Il dispose de 87 bureaux de terrain. Ses activités se sont considérablement développées depuis 1991 en raison de l'accroissement du nombre des désastres, des conflits et des famines. La moitié environ des 5 millions de tonnes

de céréales distribuées est destinée à des secours d'urgence. L'autre moitié sert à financer un large éventail de projets de développement qui vont de l'utilisation de la nourriture comme salaire (« Food for Work »), aux soins de santé pour les mères et les enfants. Le PAM contribue à l'aide aux réfugiés et aux personnes déplacées. Le Comité des politiques d'aide alimentaire (CFA), dont les 30 membres sont élus pour moitié par le conseil exécutif de la FAO et par l'ECOSOC, lui sert de conseil d'administration.

## Le Fonds des Nations unies pour l'enfance (UNICEF)

Créé en 1946 à titre provisoire pour venir au secours des enfants dans les pays ravagés par la guerre, est devenu permanent en 1953. Son conseil exécutif compte, depuis 1982, 41 membres désignés par l'ECOSOC. Ses ressources, qui avoisinent 1 milliard de dollars, proviennent de contributions volontaires des États membres et de fonds privés mobilisés dans la majorité des cas par des comités nationaux, associations nationales de soutien à l'action de l'organisation constituées dans chaque pays. Les procédés multiples de collecte de fonds incluent la vente de « cartes de vœux » de l'UNICEF, dont le réseau de vente atteint les villes et les villages. Du fait de cette structure, l'UNICEF, qui est incontestablement un organisme intergouvernemental, a aussi les caractères d'une organisation non gouvernementale. L'UNICEF a porté son attention sur tous les aspects de l'éducation, de la santé et du bien-être des enfants (y compris, par exemple, la distribution d'eau potable, les soins de santé primaires, le financement de l'impression de manuels scolaires, etc.) dans les pays en développement, mais aussi dans certains pays d'Europe ravagés par la guerre ou dans les pays successeurs de l'URSS. Il s'est spécialisé, à partir de 1982, dans une vaste campagne de vaccination de tous les enfants du monde. Il a fortement contribué à l'élaboration de la Convention sur les droits de l'enfant, approuvée par l'Assemblée générale de l'ONU en 1989. Il soutient des programmes dans 135 pays.

**Le programme des Nations unies pour le développement (PNUD)**

Le PNUD, créé en 1965 par la fusion de deux programmes de coopération technique, a longtemps été un organe collecteur de fonds destiné à financer des projets de développement dans tous les domaines. À l'origine il redistribuait ces fonds aux agences spécialisées qui exécutaient les projets ; puis il a entrepris d'exécuter lui-même quelques projets. Aujourd'hui il ne redistribue plus le montant des fonds volontaires qu'il reçoit, mais dont l'importance s'est considérablement réduite, passant d'environ 1 500 millions de dollars à 600 millions. Il est devenu une sorte d'« agence non spécialisée », qui dispose d'une forte représentation sur le terrain, ses bureaux étant dirigés par des « résidents coordinateurs » chargés théoriquement de coordonner les activités de coopération technique des autres grands programmes (UNICEF, PAM, UNFPA, etc.) et des agences spécialisées.

guerres, l'action de l'organisation en ce domaine est incontestablement utile. Toutefois, la médiatisation de ces activités contribue à donner un peu trop facilement bonne conscience à l'opinion publique. Le débat qui a été ouvert sur le « droit d'ingérence humanitaire » a contribué à laisser croire que les pays riches faisaient tout ce qui était en leur pouvoir, y compris, comme en Somalie, en utilisant la force militaire, pour venir au secours de tous les déshérités. Or des millions d'enfants continuent d'être utilisés comme travailleurs sans protection sociale dans les usines en Asie ou abandonnés dans les rues des grandes villes d'Amérique latine, sans qu'aucun secours leur soit apporté. La pauvreté et la misère s'accroissent dans les bidonvilles d'immenses métropoles dont la population augmente chaque jour. Mais la prise de conscience de ces situations par l'opinion publique dans les pays riches ne correspond pas à l'ampleur des problèmes existants. Elle conduit les gouvernements à fournir des fonds pour les situations les plus connues. Mais l'effort financier global reste très en dessous des besoins réels.

## Le domaine du développement

Le montant extrêmement faible des ressources affectées à la coopération technique multilatérale par le canal de l'ONU et de ses filiales est peut être encore plus évident en matière de développement. Ce que l'auteur du présent livre écrivait en 1986 [50] reste vrai pour l'essentiel. Le montant de l'aide publique est passé de 36 à 53 milliards de dollars, mais le pourcentage par rapport au revenu des pays riches a baissé de 0,38 % à 0,23 % :

« Les termes "aide" et "développement" laissent entendre qu'il s'agit de solidarité entre les pays riches et les pays pauvres. Il ne s'agit vraiment que très peu de cela. Ce que les spécialistes appellent l'"aide publique au développement" représente un pourcentage extraordinairement faible des revenus nationaux des pays riches et est utilisé comme moyen d'influence et de pouvoir. On peut comparer l'effort consenti au comportement d'un commerçant qui ferait 10 000 euros par mois de bénéfice, sur lequel il prélèverait 23 euros pour faire l'aumône, mais qui imposerait à ceux à qui il la fait de venir en dépenser le montant dans sa boutique. Cette comparaison, triviale en apparence, traduit pourtant mieux la réalité que des statistiques abstraites. Les 53 milliards de dollars d'aide sont distribués par les aides bilatérales (90 % du total, y compris celle de l'Union européenne), les 10 % restants étant transférés par l'aide multilatérale (soit 2,3 euros sur les 23 euros mentionnés ci-dessus). De son côté, le groupe de la Banque mondiale distribue des prêts, à faible taux d'intérêt pour ceux gérés par l'AID, qui s'élèvent à environ 25 % du montant de l'APD. Les aides bilatérales ont été conçues dans le cadre des politiques étrangères des pays donateurs. Qu'il s'agisse de dons en argent ou en nature (fourniture d'armes ou de blé, salaires d'enseignants ou d'experts), de prêts à faible intérêt ou de crédits bancaires au taux du marché, l'aide est d'abord un moyen d'influence. Dans les rivalités politiques ou économiques entre pays du Nord, les pays du Sud représentent un enjeu. Le morcellement et la concurrence des aides bilatérales (qui peuvent être au nombre d'une vingtaine dont une, deux, trois ou quatre sont prépondérantes selon les pays) créent pour les pays receveurs de difficiles problèmes de coordination de l'ensemble de l'aide extérieure et de négociations projet par projet. Le caractère "lié" de ces aides entraîne des conditions économiques peu avantageuses dues à l'obligation d'achat dans les pays donateurs. Cela traduit le fait que la méthode des "zones d'influence" s'est substituée après la décolonisation à celle des empires coloniaux. Dans ces conditions, même pour les pays les plus pauvres — par exemple, les 25 pays les moins avancés identifiés par l'ONU —, il n'a jamais été proposé de mettre au point un système cohérent et collectif d'aide à long terme permettant d'établir des plans et des politiques de longue durée. Pour les pays en développement les plus avancés, les méthodes d'emploi des prêts bancaires n'ont fait l'objet d'aucun plan : ouverts uniquement en vue de la conquête de marchés pour les producteurs des pays industrialisés, ils ont abouti à l'accumulation de dettes d'un montant qui est devenu insupportable pour l'économie de nombreux pays débiteurs. Les mécanismes des accords de Lomé entre la CEE et les pays ACP (Afrique, Caraïbes, Pacifique) offrent le seul exemple d'orientation vers une négociation collective et institutionnelle de l'aide, qui n'a pour l'instant pas été suivi en dehors du cadre européen.

« L'aide multilatérale de son côté est distribuée par les soins d'une trentaine d'organismes différents, les quinze agences spécialisées, les grands programmes de l'ONU... et d'autres organismes indépendants. Cette dispersion s'accroît encore du fait que l'action de tous ces organismes prend la forme de "projets", de dimensions très modestes dans l'ensemble, dont la composante principale consiste en services d'experts envoyés "sur le terrain", c'est-à-dire dans les pays bénéficiaires pour distribuer des conseils. Le projet moyen correspond à la fourniture de deux ou trois experts plus une part variable d'équipement : le grand degré d'indépendance dont disposent les animateurs de chaque projet, pour sa conception et ses méthodes, aboutit à une atomisation des responsabilités. »

Les activités des sièges (et des commissions économiques régionales) consistant à donner des « conseils à distance » aux pays en développement, à éditer quelques publications (qui ne sont pas lues, les chiffres de vente des publications de l'ONU en général étant dans l'ensemble extraordinairement faibles, et dans la majorité des cas proches de zéro), ou à élaborer une doctrine de développement qui prétend qu'il sera possible aux pays pauvres de « rattraper » le niveau des pays riches, grâce à des taux de croissance plus élevés, n'accroît pas l'efficacité de l'ensemble.

Les absurdités de cette situation ont toutefois commencé à être reconnues. La gravité des problèmes posés aux pays les plus pauvres par la gestion de leur dette a conduit les pays créanciers à prendre quelques mesures pour en réduire les montants. Un programme spécial a été institué pour réduire la dette des « pays pauvres hautement endettés » (HIPC en anglais) et a commencé à fonctionner effectivement. L'idée qu'il est indispensable d'orienter les politiques des pays pauvres et tous les programmes d'aide vers la « réduction de la pauvreté » a gagné du terrain. Ce qui était appelé avec un certain mépris le « tiers-mondisme » il y a quelques années encore est devenu en quelque sorte la doctrine officielle de la « communauté internationale ». L'ONU a sans doute contribué quelque peu à cette évolution, notamment en multipliant les « grandes conférences » sur les problèmes sociaux. En l'an 2000 s'est tenue à New York une réunion de 147 chefs d'État et de gouvernement, sur un total de 189 États membres, qui ont approuvé la « Déclaration du millénaire » (document A/RES/57/2 du

18 septembre 2000). Ce texte a établi une liste d'objectifs pour 2015 (notamment l'éducation primaire universelle pour tous les enfants, la réduction de moitié de la proportion de la population mondiale dont le revenu est inférieur à un dollar par jour, qui souffre de la faim et qui n'a pas accès à l'eau potable, etc.). Cette résolution sert à définir les objectifs de toutes les organisations mondiales. Sous l'impulsion de son président James Wolfensohn, la Banque mondiale a orienté ses programmes dans le sens de la réalisation de ces objectifs. Les aides bilatérales de leur côté ont commencé dans le cadre du CAD de l'OCDE à faire des efforts dans le même sens, en particulier en essayant d'harmoniser les méthodes et les conditions d'octroi de l'aide. Le Fonds monétaire lui-même a modifié le nom de sa facilité d'ajustement en la baptisant « facilité de croissance et de réduction de la pauvreté ». La nécessité de réduire les dépenses publiques longtemps préconisée par le FMI a cédé la place à la reconnaissance de l'importance de la qualité des services publics et par conséquent de leur financement. La notion de « construction de la capacité », entendue au sens de capacité administrative, ainsi que celle de « bonne gouvernance » ont fait reconnaître l'importance de l'État. Le problème de l'insuffisance du volume de l'aide publique au développement (APD) a aussi commencé à être pris plus au sérieux. La conférence tenue à Monterrey sur le financement du développement en 2002 a obtenu l'engagement de quelques pays (notamment les États-Unis et la Communauté européenne) d'accroître quelque peu le montant de leur aide. Le Sommet mondial de Johannesburg sur le développement durable a confirmé ces intentions. Le G8 lui-même s'est saisi de la question.

On reste toutefois encore très loin d'une approche concrète correspondant à l'ampleur du problème. Le *Rapport Zedillo* [71], établi à la demande du secrétaire général de l'ONU pour être pris en considération à Monterrey, a proposé de considérer quelques idées de taxes internationales ou de financement par les droits de tirage spéciaux du FMI, pour que le montant de l'APD puisse enfin correspondre réellement aux besoins, et de reconsidérer dans le cadre de l'OMC la réglementation du commerce international actuellement très défavorable aux pays pauvres. Mais aucune de ces propositions n'a été retenue. Un très long chemin reste donc à parcourir avant que les rapports Nord-Sud deviennent plus conformes aux principes sur les droits économiques et sociaux pourtant reconnus par la communauté internationale.

### Statistiques, population et environnement

Les activités des sièges, en dehors de celles concernant les pays en voie de développement, consistent à collecter et à diffuser de l'information et à diffuser des normes. Ainsi le travail d'information statistique fait par la division des statistiques, par celle de la population et par les services de la CNUCED (en matière de commerce international), produit des chiffres qui, dans l'ensemble, font autorité et servent de bases de travail à toutes les études sur les problèmes mondiaux. Des efforts considérables ont été faits et continuent de l'être pour que les méthodes d'établissement des statistiques soient harmonisées et perfectionnées, pour aider les services nationaux à recueillir des informations correctes (recensements de population, etc.) ; mais, en dépit de ces efforts, l'obligation pour l'ONU d'accepter des chiffres qui lui sont fournis par les services nationaux de tous les pays est une cause d'erreurs, de distorsions ou de silences dans certains domaines. Par exemple, l'ONU ne publie pas de statistiques sur Taiwan, et ses statistiques en matière de distribution des revenus ou des fortunes, en dépit de travaux utiles de certaines commissions économiques régionales, ne sont pas très abondantes.

En matière de population, les travaux combinés de la Division et du Fonds de la population, poursuivis depuis de longues années et marqués par des conférences mondiales de la population tous les dix ans (conférence de Bucarest de 1974, de Mexico de 1984, conférence de 1994 au Caire), ont incontestablement abouti à faire prendre conscience des problèmes posés par des taux de croissance explosifs, à faire adopter par de nombreux pays des politiques de population et, d'une manière générale, à faire baisser les taux de croissance. Les raisons de l'efficacité relative de l'ONU en ce domaine tiennent non seulement à la qualité du travail des démographes, mais à l'intérêt porté au problème par les pays riches et au fait que les gouvernements des pays en voie de développement ont compris qu'il était de leur intérêt d'adopter des politiques de population efficaces. Mais le travail qui reste à faire en ce domaine, et qui se heurte à de nombreux tabous, est considérable.

Le domaine de l'environnement est également l'un de ceux dans lesquels des efforts importants ont été déployés. Là encore, l'intérêt des pays développés à convaincre les pays en voie de développement de prendre des mesures pour éviter l'accroissement de nombreux risques de détérioration était évident. Le travail du Programme des Nations unies pour l'environnement (PNUE) et celui du secrétariat de l'UNCED (Conférence des Nations unies

# XV. — Organes de l'ONU
## traitant du droit international

**Commission du droit international**

Créée en 1947, 34 membres élus sur une base personnelle en raison de leur compétence. Fonction : « Encourager le développement progressif du droit international et sa codification. » Elle prépare des projets d'articles sur des sujets particuliers qui sont choisis soit par elle-même, soit par l'Assemblée générale et l'ECOSOC. Ces projets sont envoyés à une Conférence internationale pour discussion et adoption.

**Commission des Nations unies pour le droit commercial international (UNCITRAL)**

Créée en 1966, 36 membres élus pour six ans. Fonction : « La promotion et la progressive harmonisation et unification du droit commercial international. Elle prépare des conventions, encourage la ratification des conventions existantes offre des facilités de formation aux pays en développement. »

**Comité sur les utilisations pacifiques de l'espace extra-atmosphérique**
**Divers comités** *ad hoc* **créés par l'Assemblée générale**

**Cour internationale de justice**

Organe judiciaire principal des Nations unies (article 7 § 1 et articles 92 à 96, chap. XIV, de la charte. Statut de la Cour annexé à la charte).

15 juges élus pour neuf ans, sur des listes de candidats établies par les « groupes nationaux » de la Cour permanente d'arbitrage, par l'Assemblée générale et le Conseil de sécurité votant indépendamment.

Entre 1946 et 1992, la Cour a examiné 65 différends soumis par les États membres (soit environ 1,5 par an) et a émis 20 avis demandés par les organisations internationales.

Les différends ont concerné :
— *des problèmes de droits sur des territoires* : France et Grande-Bretagne sur quelques îlots de la Manche (1953) ; Belgique et Pays-Bas sur une enclave frontalière (1959) ; problème frontalier entre Burkina Faso et Mali (1986), entre Libye et Tchad (1990) ;
— *le droit de la mer* : Albanie et Grande-Bretagne pour dommages par mines infligés à des navires britanniques dans les eaux territoriales albanaises (1949) ; Grande-Bretagne et Norvège sur des problèmes de pêche (1951) ; Danemark, Pays-Bas et République fédérale d'Allemagne sur la délimitation du plateau continental (1969) ; Islande, Grande-Bretagne et République fédérale d'Allemagne sur des problèmes de pêche (1974) ; Tunisie, Malte et Libye (1985) ; etc. ;
— *des questions relatives à la protection des diplomates* : Colombie et Pérou sur droit d'asile (1950) ; France et États-Unis sur ressortissants américains au Maroc (1951) ; Liechtenstein et Guatemala sur problème de nationalité (1955) ; États-Unis et Italie sur réquisition d'une compagnie américaine en Sicile (1989) ;
— *des problèmes concernant la tutelle de certains territoires* : 4 affaires concernent la Namibie (1950, 1966, 1971) ; île de Nauru et Australie (1991) ; Portugal et Australie au sujet de Timor oriental (1991) ;
— *des phénomènes consécutifs à certains conflits régionaux* : Iran-États-Unis sur la détention de personnel diplomatique (1980) ; Nicaragua-États-Unis (1984) ; Nicaragua, Costa Rica et Honduras (1986) ; Libye contre Grande-Bretagne et États-Unis (1992) au sujet de l'accident de l'avion de la Pan Am à Lockerbie.

**Les deux tribunaux pénaux internationaux, pour l'ex-Yougoslavie et pour le Rwanda**

**La Cour criminelle internationale (en cours de ratification)**

pour l'environnement et le développement qui s'est tenue à Rio de Janeiro en 1992), a tendu à établir et faire approuver de nombreuses conventions. En dépit de professions de foi répétées, les pays riches n'ont toutefois pas jugé utile de fournir les énormes ressources financières nécessaires à leur application.

## Le droit international : progrès ou stagnation ?

Les activités concernant le droit international ont à l'ONU un grand prestige. Les juristes internationaux, professeurs d'université, trouvent à l'ONU non seulement un lieu de rencontres idéal, mais des fonctions importantes et spécifiques. Les postes de membres de la Commission de droit international sont extrêmement recherchés. Ceux de juge à la Cour internationale de justice de La Haye représentent pour quinze d'entre eux un couronnement de carrière. L'ONU se vante au surplus d'avoir fait considérablement *progresser* le droit international, ce qui est exact si l'on juge le progrès par le nombre des conventions dont elle a permis l'adoption. Il est moins sûr que l'on puisse parler de progrès si l'on entend par là l'établissement de règles de droit qui garantiraient l'existence d'une société internationale plus juste et mieux policée.

Les organes de l'ONU qui traitent de ces questions sont décrits dans l'encadré XV. La liste des conventions internationales adoptées à la suite des travaux de la Commission de droit international est sans doute impressionnante, aussi bien par le nombre (plus d'une vingtaine de conventions entre 1958 et 1993) que par leur variété. Mais la nature du droit qui a résulté de toute cette activité est moins satisfaisante. Il s'est agi tout d'abord beaucoup plus de codification que d'innovation. On s'est contenté dans la majorité des cas de consolider l'acquis (dans les domaines des relations diplomatiques, des relations consulaires, de la protection des personnels, de la succession d'États, du courrier diplomatique ou dans celui de la vente internationale des marchandises). Et quand on s'est attaqué à des questions non précédemment traitées — droit de la mer, droit de l'espace extra-atmosphérique, environnement, armes nucléaires —, les méthodes utilisées pour établir de nouvelles règles ont été les mêmes que celles qui avaient été appliquées en d'autres domaines au XIXᵉ siècle, dans le respect absolu des souverainetés nationales. Non seulement aucun esprit novateur n'a soufflé, mais quand des idées généreuses ont été émises, les grandes puissances ont réussi à les transformer dans le sens de la défense la plus étroite de leurs intérêts. Le droit de la mer a fourni à cet égard l'exemple le plus clair. L'idée de définir un « patrimoine commun de l'humanité » contenait incontestablement une vision progressiste dans la mesure où les pays les plus pauvres comme les plus riches étaient invités à partager une richesse potentielle nouvelle. L'exploitation des ressources du fond des mers aurait pu donner naissance à un grand projet ouvert à tous les pays dans lequel un esprit de coopération, de générosité à l'égard des plus pauvres et d'objectif à atteindre en commun aurait pu se développer. Les propositions qui ont abouti à concevoir l'Autorité du fond des mers allaient bien dans cette direction. La résistance farouche des pays les plus riches et en particulier celle des États-Unis ont abouti, après de dures négociations de 1967 à 1993, à vider de son sens ce projet. Au contraire, on s'est attaché à réduire au maximum la surface qui ne serait pas appropriée par les États riverains, et la notion d'« investisseurs pionniers » est venue permettre de réserver les richesses potentielles aux seuls pays qui étaient capables de mobiliser les ressources financières et la technicité nécessaire...

Ce souci de défense des intérêts des pays les plus riches s'est aussi clairement manifesté dans le domaine des armes nucléaires. Les activités que l'ONU classe sous la dénomination de désarmement n'ont pas traité de réduction des armements. Celle-ci est restée, depuis que des efforts ont été faits dans ce sens, à partir de 1987, l'objet de négociations bilatérales entre les États-Unis et l'URSS, ou de négociations multilatérales dans le cadre CSCE en ce qui concerne les armes conventionnelles. Ce qu'il a été possible d'aborder dans le cadre onusien a concerné la réglementation de la détention ou de l'expérimentation des armes nucléaires (1963, traité interdisant les essais nucléaires ; 1967, traité sur les principes de l'exploitation de l'espace) ou l'interdiction des armes bactériologiques, chimiques ou « inhumaines ». Il s'agit en quelque sorte d'un droit de la guerre, qui tente de lui ôter ses aspects les plus barbares ou les plus destructeurs, ce qui est un champ d'action modeste pour une organisation consacrée théoriquement à la recherche de la paix. Les deux plus importants résultats de ces efforts ont été le traité de non-prolifération nucléaire de 1968 et la convention sur les armes chimiques de 1992. Dans les deux cas, cette réglementation tend à conforter l'ordre établi, c'est-à-dire l'hégémonie militaire des détenteurs de l'arme nucléaire, en empêchant leur prolifération et en empêchant que les pays pauvres ne soient tentés de leur substituer les armes chimiques, infiniment plus faciles à fabriquer. Encore la ratification de ces conventions n'est-elle pas le fait de tous les pays.

# XVI. — La machinerie des droits de l'homme à l'ONU

**Assemblée générale**

La 3ᵉ commission compétente pour les affaires sociales, humanitaires et culturelles ;
ses comités subsidiaires :
— Comité spécial de la décolonisation (1961), 25 membres,
— Comité spécial contre l'apartheid (1962), 18 membres,
— Comité spécial d'investigation des pratiques israéliennes affectant les droits de l'homme des populations des territoires occupés, 3 membres,
— Comité sur l'exercice des droits inaliénables du peuple palestinien (1975), 25 membres.

**Conseil économique et social (54 membres)**

Ses organes subsidiaires : groupe de travail d'experts gouvernementaux sur la mise en œuvre du Pacte international sur les droits économiques, sociaux et culturels (15 membres du Conseil économique et social).

**Commission des droits de l'homme (1946), 43 membres**

Ses groupes de travail sur :
— la punition du crime d'apartheid,
— les violations grossières des droits de l'homme,
— les disparitions,
— l'analyse de la promotion des droits de l'homme,
— la préparation de diverses conventions.
Sous-commission sur la prévention de la discrimination et la protection des minorités (1947), 27 experts et ses groupes de travail sur :

— les communications envoyées à la sous-commission,
— l'esclavage,
— les populations indigènes,
— et des groupes de travail de sessions.

**Commission sur le statut des femmes (1946, 32 membres)**

**Comités créés en relation avec les instruments juridiques établis par les Nations unies sur les droits de l'homme**

Comité pour l'élimination de la discrimination raciale (article 8 de la Convention internationale sur l'élimination de toute forme de discrimination raciale, 18 experts élus pour quatre ans, 1970) : examen des rapports des États partis à la Convention et recommandations à ce sujet.
Comité des droits de l'homme (1977), article 28 du Pacte sur les droits civils et politiques 18 membres experts élus.
Comité sur l'élimination de la discrimination à l'égard des femmes (23 experts) examine les progrès faits dans l'application de la convention.

**Centre des droits de l'homme (secrétariat, Genève)**

Bureau du sous-secrétaire général pour les droits de l'homme.
Section de la mise en œuvre des instruments internationaux.
Section de la législation et de la prévention de la discrimination.
Services consultatifs, assistance technique et information.

À un moment où la mondialisation de tous les problèmes eût exigé une vision entièrement nouvelle du droit international (vision qui commençait à apparaître et à prendre forme en d'autres instances, notamment dans le sein de la Communauté européenne et à la CSCE), et où l'établissement d'un nouveau système de sécurité permettant une véritable réduction du niveau des armements eût pu être étudié, l'ONU n'a pas réussi à tirer les leçons de ces besoins et de ces possibilités.

Les échecs tragiques des interventions de l'organisation en ex-Yougoslavie et au Rwanda ont entraîné, en compensation en quelque sorte, la création de deux tribunaux pénaux internationaux (un pour chacun de ces pays avec un procureur général commun) par les résolutions 827 et 955 (de 1993 et 1994) du Conseil de sécurité. Dans la foulée, l'établissement d'une Cour pénale inter-nationale a fait l'objet, à partir de 1995, de négociations qui ont abouti à l'adoption du projet le 17 juillet 1998 à la Conférence de Rome, par 120 voix pour, 7 contre, dont celles des États-Unis et de la Russie, et 21 abstentions. Les opérations de ratification sont en cours (90 ratifications sur 137 signataires en juin 2003).

## Les droits de l'homme

Les activités de l'ONU au sujet des droits de l'homme sont parmi celles dont le bilan est loin d'être négligeable. Cette affirmation heurte l'opinion la plus répandue selon laquelle les droits de l'homme étant quotidiennement bafoués, l'ONU démontrerait tous les jours son impuissance. Il est certain que la bataille est loin d'être gagnée, mais le problème est de savoir si, dans cette lutte difficile pour l'établissement d'une société plus civilisée, la contribution de l'ONU a été positive. Or aucun observateur objectif ne peut le nier. Cela est d'autant plus paradoxal que les progrès réalisés l'ont été malgré les stratégies contraires aux droits de l'homme conduites pendant toute la guerre froide et la période de décolonisation par les gouvernements de l'Ouest et de l'Est, qui soutenaient au nom de l'anticommunisme ou du socialisme de nombreux régimes dictato-riaux. Il ne fait aucun doute que le discours sur les droits de l'homme tenu par les représentants gouvernementaux a atteint, et atteint encore souvent, les sommets de l'hypocrisie. Il ne fait non plus aucun doute que l'idéologie occidentale, libérale et capitaliste, qui triomphe depuis la fin des années quatre-vingt, favorise le discours sur les droits civils et politiques aux dépens de celui sur les droits économiques et sociaux, eux aussi formellement reconnus.

Et pourtant le travail en faveur des droits de l'homme a marqué quelques points à l'ONU, parce que l'organisation a légitimé la lutte conduite par les militants de ces droits, à travers les organisations non gouvernementales constituées à cette fin ; parce qu'elle a offert à certaines catégories d'opprimés une tribune ; parce qu'elle a permis la mise au point de mécanismes qui permettent d'exercer une pression utile pour un meilleur respect du droit ; enfin, parce qu'elle a contribué à ce que l'idéologie des droits de l'homme progresse dans les esprits. Il s'agit de l'un des domaines où les grands mots piègent ceux qui les utilisent sans y croire. De même que les déclarations sur la liberté ont aidé au renversement de quelques dictateurs, ou que l'affirmation du droit des peuples à disposer d'eux mêmes a favorisé la décolonisation, le discours sur les droits de l'homme est finalement contraignant.

Il s'est agi en l'occurrence d'un discours essentiellement occidental. C'est bien à l'opinion des habitants des pays riches que s'adressaient les pères de la charte quand ils proclamaient, dans son préambule, leur foi « dans les droits fondamentaux de l'homme, dans la dignité de la personne humaine, dans l'égalité des droits des hommes et des femmes » et qu'ils s'engageaient « à favoriser le progrès social et à instaurer les meilleures conditions de vie dans une liberté plus grande ». La Déclaration universelle des droits de l'homme, adoptée par l'Assemblée générale le 10 décembre 1948, et le Pacte sur les droits civils et politiques de 1966 sont bien à cet égard l'expression de la philosophie de l'Occident. Mais les droits de l'homme ont une valeur universelle, et la mise en œuvre progressive du Pacte sur les droits économiques, sociaux et culturels (également de 1966) permettra peut-être un jour de dégager un consensus sur une philosophie acceptable par tous les peuples.

## Bilan d'ensemble

Le survol qui vient d'être fait des activités de l'ONU dans les domaines économique, social et humanitaire aboutit à un bilan assez pauvre. L'ONU, seule organisation mondiale existante en matière de sécurité et de réflexion d'ensemble sur les problèmes mondiaux, rend quelques services à la communauté internationale, mais l'absence de consensus sur des questions fondamentales et l'insuffisance des ressources qui lui sont allouées la conduisent à vivre dans un climat d'irréalisme peu satisfaisant dans une société mondiale qui prend de plus en plus conscience de son unité.

# IV / L'ONU et la sécurité depuis la fin de la guerre froide

En matière de sécurité, la fin de la guerre froide a conduit à renouveler le scénario illusions-désillusions une troisième fois dans l'histoire de l'organisation mondiale, sans que pour autant la structure de l'ONU fût remise en question. Au contraire, à partir de 1985, au lieu de songer à remplacer l'ONU par une institution nouvelle, il n'a été question que de sa renaissance, de son renforcement, de la possibilité de l'utiliser pleinement, puisque le contexte politique semblait lui permettre enfin de fonctionner comme ses pères fondateurs l'avaient envisagé. Cela s'explique sans doute par le fait que la disparition du communisme, l'affaiblissement de la puissance de l'URSS, puis son éclatement en plusieurs États ont permis à l'Occident et particulièrement aux États-Unis de dominer l'organisation et de l'utiliser à leur gré. On ne modifie pas un instrument aussi commode, au moment où il est remis à votre disposition. Il y avait, par ailleurs, concordance entre l'idéologie libérale, désormais dominante au niveau mondial, et les dispositions de la charte qui organise l'alliance militaire des grandes démocraties pour imposer au monde la paix et le respect des droits de l'homme.

Il n'est donc pas surprenant que l'on ait réussi à faire croire à l'opinion à cette « embellie » de l'ONU, jusques et y compris pendant la guerre du Golfe en 1990-1991. Cette vision commune des relations internationales ne s'est d'ailleurs pas limitée aux pays du Nord. Du fait de la faiblesse de la Chine et de la dépendance économique accrue des pays en développement à l'égard des pays riches, elle a obtenu une sorte d'unanimité. Cette situation a permis à l'organisation mondiale de remporter quelques succès limités et de rendre quelques services. Mais, comme ce fut le cas pour la SDN entre 1920 et 1930, ces succès se sont rapidement accompagnés de nombreux échecs. Confrontée avec le développement de nouveaux conflits intra-étatiques qui, pour n'être plus entretenus par les deux camps opposés dans la guerre froide, n'en sont pas moins sanglants, l'ONU s'est orientée vers la recherche de la paix par la répression des fauteurs de troubles. Mais les hésitations du camp occidental, les divergences de point de vue et d'intérêt entre ses membres ne lui ont pas permis, comme le conflit yougoslave l'a démontré, de le faire réellement. Or ni l'organisation ni ses États membres ne semblent avoir réfléchi sérieusement aux causes profondes de ces nouveaux conflits qui se développent en Afrique, en Asie, dans les anciennes républiques soviétiques au sud de la Russie, et en Europe même. Dès 1992, le pessimisme a prévalu, mais nul ne semble en avoir déduit qu'il fallait changer de méthodes. Aussi, en l'absence de stratégie de prévention de troubles futurs et prévisibles, les rêves de paix semblent-ils plus utopiques que jamais.

## Un espoir nouveau, une occasion manquée

L'ampleur du changement qui s'est produit, à partir de l'avènement de Mikhaïl Gorbatchev le 10 mars 1985, n'a pas fini de surprendre. Le monde est passé d'une situation stabilisée et même figée par l'opposition Est-Ouest, et qui permettait d'entretenir de part et d'autre des certitudes, à un état instable, en évolution permanente et rapide, et qui remet en question nombre d'institutions, en particulier les alliances militaires. L'ONU, qui se trouve « dans l'œil du cyclone » — suivant l'expression utilisée par l'un de ses anciens secrétaires généraux [32] —, n'a donc pas été épargnée. La révolution à l'Est s'est accompagnée très tôt d'un message envoyé à l'Occident au sujet de l'organisation mondiale. Et la manière dont les chancelleries occidentales ont rejeté ce message mérite quelque attention. Dans un article publié par la *Pravda* et les *Izvestia* le 27 septembre 1987, Mikhaïl Gorbatchev [57] écrivait :

« Notre monde complexe et divers est en train de devenir, par une évolution inévitable, de plus en plus interrelié et interdépendant. Et ce monde a de plus en plus besoin d'un mécanisme capable de permettre la discussion des problèmes communs d'une manière responsable et à un niveau convenable de représentation. Ce mécanisme doit permettre la recherche mutuelle pour l'établissement d'un équilibre entre les intérêts différents, contradictoires et pourtant réels de l'actuelle communauté des États et des nations. L'ONU est appelée à être ce mécanisme par les idées sur lesquelles elle a été construite et par son origine, et nous sommes confiants qu'elle est capable de remplir un tel rôle. »

Les propositions concrètes qui accompagnaient ce préambule comprenaient : la reconnaissance, notamment par les membres permanents du Conseil de sécurité, de la juridiction obligatoire de la Cour internationale de justice ; le développement de l'utilisation des observateurs militaires et des forces de maintien de la paix ; la tenue de sessions du Conseil de sécurité au niveau ministériel ; la création d'une Agence mondiale de l'espace ; la création d'un réseau de coopération médicale dans le cadre de l'Organisation mondiale de la santé ; des études en commun en vue de l'établissement d'un « système complet de sécurité internationale » ; la comparaison du montant des dépenses militaires des divers pays ; un accord au sujet des possibilités de piraterie nucléaire ; un examen des propositions existantes concernant la réforme de l'ONU et de son système ; un dialogue sur la restructuration du système monétaire international ; la création d'un conseil consultatif rassemblant les élites intellectuelles mondiales ; un système d'identification à l'avance des nouveaux problèmes économiques mondiaux ; le renforcement de la contribution de l'URSS au développement en fonction des progrès des mesures de désarmement ; l'établissement d'un système mondial d'information capable de faire disparaître les stéréotypes « d'images de l'ennemi ». Ces propositions respectaient sans doute l'ONU et sa charte, au moins formellement, et pouvaient même apparaître comme un hommage rendu à l'importance de l'organisation. En fait, elles étaient à bien des égards révolutionnaires, et les chancelleries occidentales ne s'y sont pas trompées. Il s'agissait de transformer complètement la philosophie et le rôle de l'organisation mondiale, en intensifiant la coopération internationale, mais surtout en modifiant profondément le système de sécurité (établissement du « système complet de sécurité internationale »), en entreprenant la réforme des structures du système des Nations unies (examen des propositions existantes de réforme concernant l'ONU et son système), y compris les organisations de Bretton Woods (restructuration du système monétaire international).

C'est surtout le nouveau système de sécurité qui inquiéta les Occidentaux. Ce système (connu sous le sigle anglais de CSPS, *Comprehensive System of Peace and Security*), comportait notamment : la réduction strictement contrôlée de la capacité militaire de tous les pays à un niveau de suffisance raisonnable ; la dissolution des alliances militaires ; la réduction des budgets militaires ; la prévention de la course aux armements dans l'espace ; l'arrêt de tous les essais nucléaires et la destruction totale de toutes les armes nucléaires ; l'établissement d'un ordre économique garantissant la sécurité économique de tous les pays ; l'élaboration de principes pour utiliser une partie des fonds dégagés par la réduction des budgets militaires pour le bien de la communauté mondiale, les pays en développement en premier lieu : l'utilisation des Nations unies pour la vérification de la réduction des armements ; la garantie des accords régionaux de sécurité par les membres permanents du Conseil de sécurité.

Il y avait deux attitudes possibles pour l'Occident face à de telles propositions : les prendre au sérieux et les discuter sans concession pour aboutir à une vision commune d'un nouveau système de sécurité ; ou les rejeter avec mépris en y décelant une manœuvre soviétique pour amener les Occidentaux à baisser la garde trop rapidement et pour obtenir de l'Occident un soutien économique massif.

C'est la seconde attitude qui fut d'emblée adoptée. Mikhaïl Gorbatchev eut beau, parallèlement à cette ouverture, donner des preuves de plus en plus nombreuses de sa sincérité, notamment en matière de réduction des armements — signature du traité INF en décembre 1987, annonce à la même date d'une réduction unilatérale de 500 000 hommes des forces armées soviétiques, attitude positive au cours des négociations sur les armes conventionnelles, annonce du retrait des troupes soviétiques d'Afghanistan…) —, les chancelleries occidentales ne virent qu'un piège dans ces propositions. En définitive, les tentatives faites par la délégation soviétique pour engager la discussion sur ces problèmes tournèrent court et furent rapidement oubliées.

Le « réalisme » occidental triomphait encore une fois contre les idées d'un visionnaire. Mikhaïl Gorbatchev, près de trois quarts de siècle après Wilson, se heurtait aux idées reçues de la classe politique occidentale et au conservatisme des divers *establishments*, militaires et autres. Une nouvelle approche de la « sécurité globale », une réflexion sur la nature des nouvelles menaces et sur les nouveaux types de conflits auraient excessivement bousculé les idées reçues et les schémas traditionnels. Au contraire, il parut plus confortable de penser que la nouvelle attitude soviétique allait permettre un renouveau de l'ONU et l'établissement d'une ère de paix, sans qu'il soit indispensable de définir de nouvelles structures.

## Les nouvelles illusions

Cette vision optimiste du rôle de l'organisation reposait sur une argumentation à plusieurs niveaux :

• Libérée du blocage Est-Ouest qui l'avait empêchée de fonctionner correctement pendant quarante ans, l'ONU allait pouvoir faire revivre le système de sécurité collective. Grâce à l'accord, désormais acquis des cinq membres permanents du Conseil de sécurité, l'usage du veto deviendrait un mauvais souvenir. Les agressions seraient sévèrement réprimées, ce qui aurait un effet dissuasif à long terme. L'agression de l'Irak contre le Koweït est venue juste à point pour renforcer cette idée, la répression menée sous le couvert du Conseil de sécurité et de manière expéditive par une force internationale ayant été présentée comme exemplaire.

• Les conflits dits « régionaux », dont on attribuait le développement et la persistance au soutien apporté par les deux grands pendant la guerre froide à des factions opposées, allaient, de leur côté, pouvoir être apaisés. Le retrait des troupes russes d'Afghanistan, la cessation du soutien aux *contras* au Nicaragua, le départ des troupes cubaines de Namibie et d'Angola allaient permettre à l'ONU de développer les opérations de casques bleus et de contribuer à la stabilisation de la paix.

• La technique de ces opérations de stabilisation paraissait parfaitement au point. Elle consistait à obtenir un cessez-le-feu par des pressions diplomatiques appuyées par le retrait de soutien aux factions opposées, à stabiliser immédiatement ce cessez-le-feu par le déploiement de casques bleus le long des lignes d'arrêt des combats, à contribuer au rétablissement avec l'accord des parties en chargeant l'ONU de diverses missions pouvant consister éventuellement à collecter les armes des combattants ou à apporter quelque soutien administratif, mais surtout à organiser des élections libres et contrôlées afin de permettre l'établissement d'un gouvernement démocratique qui se mettrait au travail pour consolider la paix et reconstruire le pays.
Ce renouveau de l'ONU allait aussi permettre au secrétaire général et au Conseil de sécurité de développer la « diplomatie préventive ». Les diplomates allaient donc pouvoir donner toute la mesure de leurs talents, pourvu qu'un système d'alerte rapide *(early warning system)* permette d'obtenir à temps des informations sur les risques de conflit. Et pour le cas où ces conflits auraient commencé, il serait possible d'utiliser le déploiement préventif des casques bleus, pour empêcher les incidents de se développer. On pourrait même imaginer la création de zones démilitarisées. Cette argumentation, reprise officiellement par bien des gouvernements et par les médias, a contribué à faire croire à l'opinion publique occidentale à

la renaissance de l'ONU. Les images de la guerre du Golfe, puis celles des casques bleus largement déployés dans de nombreux pays sont venues au secours de cette propagande officielle. Et ces nouvelles illusions ont régné effectivement pendant quelques années entre 1987 et 1992. En fait, elles n'étaient que très partiellement partagées par les responsables de la politique étrangère aux États-Unis et dans les grands pays occidentaux.

## Le retour officiel à la « realpolitik »

Bien loin d'adopter une approche mondialiste, et de faire confiance à l'ONU pour organiser la paix, l'Occident a cherché à donner des réponses distinctes à chaque problème, et il n'a impliqué l'ONU que pour l'un d'entre eux. En dépit des discours sur « l'interdépendance », ou sur le « village planétaire » qui sont devenus à la mode au cours de cette période, les États-Unis, suivis par les grands pays européens, ont nettement distingué : le recours au bilatéralisme États-Unis-URSS pour les questions de réduction des armements nucléaires ; l'utilisation du cadre de la Conférence sur la sécurité et la coopération en Europe (CSCE) pour l'initiation de nouvelles négociations sur la réduction des armements conventionnels ; l'approche bilatérale ou multilatérale limitée pour les négociations de paix concernant les « conflits régionaux » ; l'appel à l'ONU, enfin, pour les opérations de stabilisation des cessez-le-feu dites de maintien de la paix.

Le rôle de l'organisation a été volontairement limité à des interventions *a posteriori*. Les rôles en matière de rétablissement de la paix *(peace making)* et de maintien de la paix *(peace keeping)* ont continué d'être soigneusement distingués ; c'était bien le second rôle seulement que les grandes puissances réservaient pour l'essentiel encore une fois à l'organisation (sauf dans quelques cas dans lesquels il n'y avait aucune chance d'aboutir). Et effectivement, qu'il s'agisse du Cambodge, de la Namibie, du Moyen-Orient, les négociations pour aboutir à la définition d'une solution ont été conduites sous l'égide soit des seuls États-Unis, soit de quelques grandes puissances. Cette division des rôles paraissait d'autant plus naturelle que, dans le climat d'optimisme, de triomphalisme que semblait justifier l'évolution des événements, les dirigeants des grands pays occidentaux estimaient que l'apaisement de ces conflits serait une tâche relativement facile. Il n'y avait aucune raison d'en donner les mérites à l'ONU.

Ce nouveau mélange de réalisme traditionnel et d'illusions allait sans doute produire des résultats dans quelques cas, mais il allait échouer aussi bien sur le plan de la sécurité collective que sur celui de l'apaisement et de la prévention de la majorité des conflits intra-étatiques.

En fait il est impossible de comprendre le rôle joué par l'ONU depuis 1988 en matière de sécurité sans tenir compte de la philosophie adoptée en ce domaine par les grandes puissances occidentales, sous la houlette des États-Unis. Elle reflète le réalisme le plus traditionnel, et peut être ainsi résumée :

— les relations internationales sont incertaines et imprévisibles ; en conséquence le maintien de forces militaires importantes par les pays occidentaux, et notamment par ceux alliés dans le cadre de l'OTAN, est essentiel ;

— il semble y avoir peu de risques d'agressions entre États, mais il faut prévoir que ce risque n'a pas complètement disparu ; les problèmes à résoudre au niveau planétaire concernent surtout le développement de nombreux conflits intra-étatiques, et les violations massives des droits de l'homme et des droits des peuples ;

— la responsabilité des interventions militaires éventuelles sera exclusivement de la compétence des États-Unis, ou de l'alliance Atlantique ;

— aucune intervention militaire ne sera envisagée contre les pays importants (comme la Chine ou la Russie…) même si leurs dirigeants violent les droits de l'homme ou des peuples ;

— aucune intervention militaire ne sera envisagée au sujet des conflits intraétatiques dans les pays où ces conflits peuvent se poursuivre sans porter atteinte aux intérêts des grandes puissances occidentales ; des interventions militaires pourront avoir lieu quand un conflit menace directement les intérêts des États-Unis ou de l'Occident, soit pour des raisons économiques (exemple Irak-Koweït) soit pour des raisons de prestige (exemple : Kosovo). Ces interventions ne devront pas mettre en danger la vie des soldats américains ou occidentaux, et seront en conséquence menées essentiellement par l'usage de fusées ou de bombardements aériens ;

— comme il est pratiquement impossible de prévenir les conflits, on se contentera d'intervenir au moment où ils se terminent ou sont très près de se terminer, en apportant aux pays concernés quelque aide technique pour l'établissement de conditions de paix durables et pour leur reconstruction. Ce rôle de tutelle pourra être confié à l'ONU, ou à une organisation régionale comme l'OSCE ou l'OUA.

Le rôle dévolu à l'ONU concerne essentiellement ce dernier paragraphe : elle effectuera surtout des interventions postconflictuelles,

93

et éventuellement sera chargée d'une sorte de « tutelle » sur les pays épuisés par les conflits que l'on n'avait pu arrêter.

La liste des interventions de l'ONU sous la forme de missions d'observateurs ou sous celle de l'utilisation des casques bleus entre 1987 et 2003 est donnée dans l'encadré XVII.

## L'évolution de la conception des interventions

Les interventions ont été fréquentes (entre 1 et 5 par an en moyenne), mais leur comptabilisation n'a pas beaucoup de sens, dans la mesure où plusieurs d'entre elles sont la continuation d'une même opération (4 missions successives en Angola, 3 en Haïti). Elles sont situées d'une part sur la ligne de frontière entre le monde riche et le tiers monde, de l'isthme américain et des Caraïbes à la Méditerranée, au Moyen-Orient, et au pays du sud de l'ancienne URSS, d'autre part en Afrique. L'évolution de leur conception a été marquée par :
— les premiers résultats relativement positifs en Namibie et au Salvador ;
— la guerre du Golfe, où l'ONU a été présentée comme cautionnant un « nouvel ordre mondial » ;
— les échecs tragiques de plusieurs interventions majeures qui mélangeaient maintien et imposition de la paix avec aide humanitaire ;
— l'intervention de l'OTAN au Kosovo ;
— le nouveau désastre du Timor oriental ;
— une nouvelle crise de l'ONU provoquée par l'intervention américaine en Irak.

## Premiers résultats positifs

Pendant la période qui a immédiatement suivi la fin de la guerre froide, de 1986 à 1989, les puissances occidentales ont laissé à l'ONU un certain rôle en matière d'établissement de la paix. Ce rôle a compris, en premier lieu, ce que l'on pourrait appeler des travaux préparatoires. Il est juste de rappeler ici que dans la guerre Iran-Irak, les missions de bons offices du secrétaire général et celle d'Olof Palme ont commencé dès 1980, et que, parmi les nombreuses résolutions adoptées par le Conseil de sécurité, celle du 20 juillet 1987 (résolution 548), aussitôt acceptée par l'Irak, a finalement été invoquée par l'Iran quand ce pays a décidé de mettre fin à la guerre. De même, dans le conflit afghan, les négociations des accords de

# XVII. — Missions d'observation et de maintien de la paix des Nations unies créées entre 1987 et 2003

**Opérations terminées (juin 2003)**

• *UNGOMAP. Groupe d'observateurs militaires des Nations unies en Afghanistan et au Pakistan. — Avril 1988-mars 1990.* Aider le représentant du SG à prêter ses bons offices aux parties pour assurer l'application des accords. 35 observateurs militaires (10 pays). Coût : 14 millions de dollars.

• *GOMNUII. Groupe d'observateurs militaires des Nations unies pour l'Iran et l'Irak. — Août 1988-février 1991.* Vérifier, confirmer et superviser le cessez-le-feu. 400 personnes (27 pays). Coût : 171 millions de dollars.

• *UNAVEM I. Mission de vérification des Nations unies en Angola. — Janvier 1989-juin 1991.* Vérifier le redéploiement des troupes cubaines vers le nord et leur retrait échelonné. 61 observateurs militaires. Coût : 16,9 millions de dollars.

• *GANUPT. Groupe d'assistance des Nations unies pour la période de transition (Namibie). — Avril 1989-mars 1990.* Aider le représentant spécial du SG à assurer l'accession de la Namibie à l'indépendance par l'organisation d'élections libres et régulières. 8 000 personnes dont 2 000 civils (plus 1 000 personnes engagées spécialement pour les élections), 1 500 policiers et 4 500 militaires (51 pays). Coût : 368,3 millions de dollars.

• *ONUCA. Groupe d'observateurs des Nations unies en Amérique centrale (Costa Rica, Salvador, Guatemala, Honduras et Nicaragua). — Novembre 1989-janvier 1992.* Vérifier que les cinq pays respectent leurs engagements de cesser toute assistance aux forces irrégulières de la région. À au surplus joué un rôle dans la démobilisation volontaire des *contras* et surveillé le cessez-le-feu au Nicaragua. 1 098 personnes (10 pays). Coût : 90,5 millions de dollars.

• *UNAVEM II. Mission d'observation des Nations unies en Angola II. — De juin 1991 à février 1995.* Surveiller le cessez-le-feu. Organiser des élections (qui ont eu lieu les 29 et 30 septembre 1992), mais les combats ont repris. Présence maintenue pour tenter de mener à bien le processus de paix. 75 observateurs militaires, 28 observateurs de police plus 115 civils. Coût : 36 millions de dollars par an.

• *ONUSAL. Mission d'observation des Nations unies au Salvador. — Depuis juillet 1991.* Vérifier l'application des accords signés entre le gouvernement et le FMLN (Frente Faraboundo Marti para la liberacion nacional). Le conflit armé a pris fin officiellement le 15 décembre 1992. ONUSAL doit vérifier les élections de mars 1994. 1 000 militaires et policiers et 140 civils autorisés. En 1995, mission réduite à 34 personnes. Coût : 34 millions de dollars par an.

• *MIPRENUC. Mission préparatoire des Nations unies au Cambodge. — Octobre 1991-mars 1992.* Aider les quatre parties cambodgiennes à maintenir le cessez-le-feu pendant la période précédant l'établissement et le déploiement de l'APRONUC. Programme de formation de la population cambodgienne pour le déminage. 1 504 militaires et civils (26 pays). Coût : 20 millions de dollars.

• *ONUSOM I. Opération des Nations unies en Somalie I. — Avril 1992-avril 1993.* Surveiller le respect du cessez-le-feu à Mogadiscio, assurer la protection du personnel de l'ONU, escorter l'acheminement de l'aide humanitaire dans la capitale, puis dans toute la Somalie. Effectifs autorisés, mais non atteints : 50 observateurs militaires, 3 500 personnes chargées de la sécurité, 200 personnels civils. Coût : 109 millions de dollars.

• *FORPRONU. Force de protection des Nations unies (Yougoslavie). Effectifs en 1995, environ 39 000 hommes.* — *Depuis mars 1992.* Bosnie-Herzégovine, Croatie, République fédérale de Yougoslavie (Serbie et Monténégro), ex-République yougoslave de Macédoine. Mandat modifié plusieurs fois : à l'origine, opération provisoire menée pour créer les conditions de paix pour la négociation d'un règlement d'ensemble de la crise yougoslave. Déployée dans trois zones protégées par les Nations unies (ZPNU) pour veiller à ce que ces zones soient démilitarisées et à protéger les personnes y résidant contre une attaque armée. En *juin 1992* : élargissement du mandat pour surveiller des zones (dites zones roses) situées à l'extérieur des ZPNU. En *août 1992*, pour exercer les fonctions de contrôle d'immigration et de douane aux lignes de démarcation des ZPNU quand celles-ci coïncident avec des frontières internationales. En *octobre 1992*, pour inclure la surveillance de la démilitarisation de la péninsule de Prevlaka, près de Dubrovnik et contrôler le barrage de Peruca.

*Pour la Bosnie-Herzégovine* : en *juin 1992*, la situation s'étant détériorée, le mandat et les effectifs de la FORPRONU ont été élargis pour assurer le fonctionnement et la protection de l'aérodrome de Sarajevo et l'acheminement de l'aide humanitaire dans cette ville. En *septembre 1992*, pour permettre à la force d'appuyer les efforts du HCR. En *novembre 1992* pour contrôler le respect de l'interdiction des vols militaires dans l'espace aérien de la Bosnie-Herzégovine. *En avril et mai 1993*, six villes sont déclarées « zones de sécurité ». Le renversement de la situation militaire, après le réarmement clandestin des troupes bosniaques musulmanes, l'envoi d'une « force d'intervention rapide » anglo-française, et l'intervention de frappes aériennes de l'OTAN en 1995 contre les troupes serbes autour de Sarajevo, conduisent *fin 1995* vers les négociations de paix, sous l'égide des

États-Unis, le retrait de la FORPRONU et son remplacement après la paix par une force multinationale sous commandement américain.

*Pour l'ex-République yougoslave de Macédoine* : la FORPRONU a été déployée en *décembre 1992* pour surveiller l'évolution de la situation et protéger les zones frontalières. Effectifs : 750 hommes.

• *APRONUC. Autorité des Nations unies au Cambodge.* — *De mars 1992 au 24 septembre 1993* (retrait terminé le 15 novembre 1993). Aux termes de l'accord pour un règlement politique global du conflit du Cambodge signé à Paris le *23 octobre 1991*, le Conseil national suprême (CNS) composé des quatre parties cambodgiennes a délégué à l'ONU tous pouvoirs nécessaires pour assurer l'application de l'accord. Le mandat de l'APRONUC est décrit dans le texte du présent chapitre : les élections ont eu lieu du *23 au 28 mai 1993* et le nouveau gouvernement cambodgien a été constitué. 22 000 militaires et civils (46 pays). Coût : 1 600 millions de dollars pour la période *novembre 1991-31 juillet 1993*. Plus 880 millions de dollars pour le rapatriement et la réinstallation des réfugiés.

• *ONUMOZ. Opération des Nations unies au Mozambique.* — *De décembre 1992 à décembre 1994*. Conformément à l'accord général de paix signé à Rome le *4 octobre 1992* entre le président de la République et le président de la RENAMO, le mandat comprend quatre volets : *1)* politique : faciliter l'application de l'accord ; *2)* militaire : surveiller le cessez-le-feu, la démobilisation des forces et le retrait des armes ; assurer la sécurité ; *3)* électoral : assistance technique et surveillance du processus électoral ; *4)* humanitaire : coordonner et surveiller toutes les opérations d'aide humanitaire. Effectifs autorisés :

8 000 militaires et civils (21 pays).

Coût : environ 210 millions de dollars par an.

• *ONUSOM II. Opération des Nations unies en Somalie II.* — *De mai 1993 à* décembre 1994. En raison de la détérioration de la situation en Somalie, le président des États-Unis (Bush) a décidé d'intervenir militairement. En décembre 1992, les États-Unis ont obtenu du Conseil de sécurité l'autorisation d'entreprendre une action militaire à l'échelle du pays et la Force d'intervention unifiée a été autorisée à employer tous les moyens nécessaires pour restaurer des conditions de sécurité. L'ONUSOM restait responsable des aspects politiques de l'assistance humanitaire. En *mars 1993*, le Conseil de sécurité décide qu'ONUSOM II doit reprendre les activités de la Force d'intervention unifiée. Le transfert a eu lieu en *mai 1993*. ONUSOM II devait instaurer des conditions de sécurité, aider le peuple somali à reconstruire l'économie, assurer la réconciliation politique nationale, reconstituer un État somali démocratique, réorganiser l'économie. Représentant du SG : un Américain, l'amiral J.T. Howe. Effectifs autorisés : 28 000 militaires et 2 800 civils (34 pays). Coût estimatif pour un an : 1 550 millions de dollars. Retrait complet fin 1994, échec total.

• *UNOMUR. Mission d'observation des Nations unies en Ouganda-Rwanda. — De mai 1993 à décembre 1994. Intégrée dans UNAMIR. Mission d'assistance des Nations unies pour le Rwanda.* — Effectifs autorisés : 2 548. Coût : 8 millions de dollars par an. Retrait complet au moment du génocide en 1994.

• *UMOMIL. Mission d'observateurs des Nations unies au Liberia. — Établie depuis le 22 septembre 1993.* Effectifs autorisés : 368 (*fin 1993 :* 31). Coût estimé : 63 millions de dollars.

• *MINUHA. Mission des Nations unies en Haïti. — Depuis le 23 septembre 1993.* Effectifs autorisés : 1 267. Coût annuel : 50 millions de dollars.

• *GONUBA. Mission d'observateurs des Nations unies pour la bande d'Aouzou (Libye-Tchad). — Mai-juin 1994.* Vérification du retrait des forces libyennes de la bande d'Aouzou. 67 000 $.

• *MONUT. Mission des Nations unies au Tadjiskistan.* — 20 personnes en décembre 1994. Coût : 1,1 million de dollars.

• *UNAVEM III. ANGOLA. — Février 1995-juin 1997.* Suite de Unavem II. 293 observateurs, 3 649 militaires, 288 policiers civils.

• *FORDEPRENU. Force de déploiement préventif en ancienne République yougoslave de Macédoine. — Mai 1995-février 1999.* Surveillance de la zone frontalière. 1 048 militaires, 35 observateurs et 22 policiers civils.

• *UNCRO. Croatie. — Mai 1995-janvier 1996.* Remplacer la Forpronu en Croatie. 6 581 militaires, 194 observateurs, 296 policiers civils.

• *UNTAES. Administration transitoire des Nations unies en Slavonie orientale, Banyan et Sirmium occidental. — Depuis 15 janvier 1996.* 2 346 militaires, 97 observateurs, 404 policiers civils. Maintien de la paix et de la sécurité dans la région.

• *MONUA. Mission d'observateurs en Angola. — Juillet 1997-février 1999.* 193 militaires, 36 observateurs, 655 fonctionnaires civils. Suite d'Unavem III.

• *MANUH. Mission d'appui des Nations unies en Haïti. — Juillet 1996-juillet 1997.* Suite de la Minuha 268 policiers civils, 1 281 militaires.

• *MINUGUA. Mission des Nations unies au Guatemala. — Janvier-mai 1997.* Vérification du respect des dispositions de l'accord de cessez-le-feu entre le gouvernement et l'Unité révolutionnaire guatémaltèque. 145 observateurs militaires et 43 policiers.

• *MITNUH. Mission de transition des Nations unies en Haïti. — Août-novembre 1997.* Encourager la professionnalisation de la police nationale. 250 policiers civils, 50 soldats ; 10,1 millions de $.

• *MIPONUH. Mission de police civile des Nations unies en Haïti. — Depuis décembre 1997.* Suite de la précédente :

300 policiers civils, 200 fonctionnaires civils. 30 millions de £ par an.

• *MINURCA. Mission des Nations unies en République centrafricaine. — Depuis avril 1998.* Renforcer la sécurité à Bangui et ses environs. 1 350 militaires ; 70 millions de $.

## Opérations en cours en juillet 2003

*A. Missions créées avant 1987*

• *ONUST* Organisme des Nations unies chargé de la surveillance de la trêve (UNTSO)

• *UNMOGIP.* Groupe d'observateurs des Nations unies dans l'Inde et le Pakistan.

• *UNFICYP.* Force des Nations unies chargée du maintien de la paix à Chypre.

• *FNUOD (ou UNDOF).* Force des Nations unies chargée d'observer le dégagement.

• *FINUL (ou UNIFIL).* Force intérimaire des Nations unies au Liban.

*B. Missions créées après 1987*

• *MONUIK. Irak et Koweït. — 1991.* 13 militaires, 65 fonctionnaires internationaux, 162 fonctionnaires locaux.

• *MINURSO. Sahara occidental. — 1991.* 250 militaires, 25 policiers, 113 fonctionnaires locaux.

• *MONUG. Georgie. — 1993.* 116 militaires, 103 fonctionnaires internationaux, 176 fonctionnaires locaux.

• *MINUBH. Bosnie-Herzégovine. — 1995.* 1 441 policiers, 3 militaires, 307 fonctionnaires internationaux, 1 342 fonctionnaires locaux.

• *MONUP. Croatie (Prevlaka). — 1996.* 27 militaires, 3 fonctionnaires internationaux, 6 fonctionnaires locaux.

• *MINUK. Kosovo. — 1999.* 4 297 policiers, 38 militaires, 999 fonctionnaires internationaux, 3 184 fonctionnaires locaux.

• *MINUSIL. Sierra Leone. —* 14 715 militaires, 11 policiers, 306 fonctionnaires internationaux, 360 fonctionnaires locaux.

• *MONUC. République du Congo. — 1999.* 4 684 militaires, 51 policiers, 575 fonctionnaires internationaux, 710 fonctionnaires locaux.

• *MINUEE. Érythrée-Éthiopie. — 2000.* 4 080 militaires, 229 fonctionnaires internationaux, 255 fonctionnaires internationaux.

• *MANUTO. Timor oriental. — 2002.* 3 484 militaires, 641 policiers, 423 fonctionnaires internationaux, 848 fonctionnaires locaux.

• *MINUCI. Côte-d'Ivoire. — 2003.* 26 + 50 officiers.

Peut être ajoutée à cette liste la *MANUA* (Afghanistan), mission de soutien au gouvernement afghan, mais dont la force militaire, sous mandat (résolution 1401 de mars 2002), n'est pas constituée de casques bleus.

Il faut encore ajouter à la liste donnée par l'encadré l'assistance technique en prévision d'élections accordée à l'Albanie, au Congo, à l'Éthiopie, à la Guinée, à Guyana, à Madagascar, au Mali, au Togo. Les activités de la commission spéciale de l'ONU chargée d'effectuer en Irak le contrôle et la destruction de divers types d'armements (armes chimiques, bactériologiques et missiles) conjointement avec l'Agence internationale de l'énergie atomique pour les armes nucléaires, ont, de leur côté, souvent retenu l'attention des médias, en raison même des difficultés qu'elle a rencontrées. Il faut aussi ne pas oublier que les tâches confiées à l'UNRWA — gérer les camps de réfugiés palestiniens et assurer (avec ses 23 000 agents) l'administration de l'éducation et de la santé du peuple palestinien — ont continué d'être assurées dans des conditions difficiles, même après les accords d'Oslo en septembre 1993. Il faut enfin mentionner les interventions diverses tentées par le secrétaire général en Éthiopie et Érythrée, au Liberia, en Libye, en Moldavie, au Haut-Karabakh, en Afrique du Sud.

Genève ont duré huit ans, mais Mikhaïl Gorbatchev a apprécié leur existence quand il s'est agi de décider le retrait des troupes soviétiques suivant un calendrier internationalement approuvé. Enfin, pour la Namibie, c'est bien le plan du secrétaire général, prêt depuis plusieurs années, pour faciliter l'accession de ce pays à l'indépendance qui a été appliqué quand les négociations organisées par les États-Unis ont débouché sur une solution. Toutefois, dans tous les cas précités ce ne sont pas les Nations unies qui ont été en charge de négocier le rétablissement de la paix. Celui-ci a résulté de la lassitude des combattants dans le cas de l'Iran-Irak, de la décision unilatérale de Mikhaïl Gorbatchev de changer de politique dans le cas de l'Afghanistan et du Salvador, de négociations conduites sous l'égide américaine pour la Namibie. Les travaux de l'ONU ont servi uniquement de prétexte. Ce n'est pas un rôle inutile, mais il n'est pas de premier plan.

Le cas du Cambodge prolongera dans la période 1990-1993 l'illusion du succès possible de l'ONU. Il est comparable aux précédents, puisque même si un représentant du secrétaire général a pu suivre les négociations, ce sont bien les représentants des cinq grandes puissances (membres permanents du Conseil de sécurité) qui ont négocié l'accord-cadre du 28 août 1990, puis les accords de paix de Paris du 23 octobre 1991. Toutefois, dans le cas du Cambodge, l'intervention des Nations unies, décidée dans ces accords, s'est effectuée alors que la réconciliation véritable entre les quatre parties cambodgiennes (et notamment les Khmers rouges) était loin d'être réalisée et que de véritables actes de guerre se poursuivaient. Si bien qu'en chargeant l'ONU du maintien de la paix et de la préparation des élections, on confiait en réalité au représentant spécial du secrétaire général et à l'ensemble de l'APRONUC une tâche complexe, qui comportait indéniablement une part importante d'établissement de la paix.

Les interventions de l'ONU pour l'Iran-Irak, le Salvador, la Namibie, ou même Chypre et le Sahara occidental pouvaient donc (en dépit de l'échec de l'Angola) laisser croire que l'organisation pourrait continuer à jouer un rôle utile qui combinerait établissement de la paix, maintien de la paix, aide à la reconstruction, aide humanitaire. La guerre du Golfe allait compléter d'une autre manière ce faux espoir.

## La guerre du Golfe et l'illusion de la renaissance de la sécurité collective

La guerre du Golfe de 1990-1991 a été l'occasion d'une vaste opération de propagande qui a tendu à faire croire notamment qu'il s'agissait d'une mise en œuvre des règles de la sécurité collective, que le consensus des cinq membres permanents du Conseil de sécurité constaté à cette occasion était devenu définitif, enfin qu'elle avait permis d'instaurer un « nouvel ordre mondial ». En fait il s'est agi de faire couvrir par le Conseil de sécurité l'intervention décidée par les États-Unis pour réprimer l'invasion du Koweït par l'Irak. Il s'agissait d'intérêts précis concernant l'équilibre au Moyen-Orient, la sécurité des approvisionnements en pétrole de l'Occident et la protection de l'État d'Israël. Ces intérêts étaient suffisamment importants pour que les États-Unis se décident à une intervention militaire. L'existence d'une situation dans laquelle l'URSS et la Chine n'avaient pas les moyens de s'opposer à une telle intervention, ou d'en déterminer les modalités, a abouti à une acceptation des décisions américaines par les quatre autres membres permanents du Conseil de sécurité.

Mais si les sanctions économiques ont été décidées en vertu du chapitre VII de la charte, les États-Unis eux-mêmes, bien décidés à garder entièrement le contrôle de l'opération, n'ont pas demandé la mise en application de ce même chapitre VII en ce qui concerne les sanctions militaires. Ce n'est pas le Comité d'état-major de l'article 47 qui a pris la direction des opérations, et contrairement à ce qui s'était passé pour la guerre de Corée, ce n'est pas le drapeau des Nations unies qui a été distribué aux troupes, même si de nombreux pays ont envoyé quelques unités modestes pour soutenir symboliquement l'action des États-Unis. La résolution 678 du Conseil de sécurité qui a autorisé les États membres « à user de tous les moyens nécessaires pour faire respecter la résolution 660 » qui condamnait l'invasion, est une autorisation d'emploi de la force ; elle est parfaitement claire à cet égard.

En revanche, les mécanismes propres aux Nations unies ont été très précieux pour permettre le contrôle international de la ligne de cessez-le-feu, pour autoriser une intervention aérienne destinée à assurer la protection des Kurdes réprimés par Saddam Hussein (résolution 688), pour organiser enfin un contrôle précis des armements détenus par l'Irak et qui risquaient de menacer une nouvelle fois la sécurité de la région (résolution 693 instituant une mission de contrôle à ce sujet). Mais prétendre que cette intervention instituait un « nouvel ordre mondial », dans lequel un système de sécurité collective parfaitement au point et soutenu par l'unanimité des membres permanents assurerait désormais la répression de toute agression n'était que pure propagande.

## Les échecs d'interventions majeures

La période qui commence en 1992 et qui va comprendre les interventions en Angola, ex-Yougoslavie, Bosnie-Herzégovine, Croatie et Macédoine, au Rwanda est caractérisée par des échecs majeurs :
— l'intervention en Angola a été un échec permanent et n'a pas empêché la quasi-destruction du pays ;
— le fiasco total de l'intervention en Somalie de l'armée américaine a appris aux puissances occidentales qu'il ne fallait pas se mêler de problèmes trop complexes, quand les intérêts occidentaux n'étaient pas réellement menacés ;
— l'intervention de la FORPRONU en ex-Yougoslavie n'a réussi à empêcher ni la poursuite des hostilités, ni les opérations « d'épuration ethnique », ni le massacre des habitants des « zones de sécurité » établies par le Conseil de sécurité sans qu'aient été prévus les moyens de les protéger contre les attaques de l'armée serbe. Les puissances occidentales, travaillant tantôt à travers le Conseil de sécurité, tantôt à travers des « groupes de contact » restreints, n'ont pas réussi à s'entendre sur une politique commune à l'égard de la fédération yougoslave, les unes préconisant son éclatement, les autres son maintien, ni sur la définition d'un agresseur, ni sur une politique d'intervention militaire pour mettre fin aux conflits et aux exactions. Les soldats de la FORPRONU n'ont pu que constater les violations des droits de l'homme, et la destruction de villes et de villages ; ils ont tenté de protéger les convois d'aide humanitaire. Le tout a donné à l'opinion publique internationale une impression d'incompétence, d'hésitations, de maladresses, de gâchis. Les témoignages des chefs militaires de la FORPRONU, chargés de faire la paix sans en recevoir les moyens sont accablants à cet égard [34] ;
— le départ sans gloire du Rwanda en 1994 de la mission d'assistance des Nations unies, au début du génocide qui a fait plusieurs centaines de milliers de morts, n'a pas non plus redoré le blason de l'ONU. Les erreurs ou la compromission de plusieurs puissances occidentales dans le génocide lui-même n'ont pas été complètement éclaircies. Le secrétaire général Kofi Annan, qui était à cette date responsable comme secrétaire général adjoint des opérations de maintien de la paix dans la région a officiellement reconnu et

regretté les erreurs commises par l'organisation dans la gestion de ces problèmes.

L'ensemble de ces échecs a conduit les puissances occidentales à ne plus utiliser l'ONU que pour des opérations d'aide à la reconstruction et de stabilisation après la fin des conflits, en l'écartant de tout effort d'établissement de la paix et bien entendu d'intervention militaire.

## L'intervention au Kosovo et le remplacement de l'ONU par l'OTAN

La guerre du Kosovo en 1999 a été l'occasion de préciser clairement les rôles respectifs de l'ONU et de l'OTAN. Les frappes aériennes contre la Serbie ont commencé le 24 mars 1999. Le 24 avril, à l'occasion de son cinquantenaire, l'OTAN publiait une déclaration établissant un « nouveau concept stratégique » qui disait : « L'OTAN du XXI$^e$ siècle doit… se tenir prête, au cas par cas et par consensus à contribuer à la prévention efficace des conflits et s'engager activement dans la gestion des crises et conflits affectant la sécurité de la région euro-atlantique… La sécurité dans la région des Balkans est essentielle pour assurer une stabilité durable dans l'ensemble de la zone… » Même si ce texte peut être considéré comme définissant le rôle d'une organisation régionale au sein de son espace géographique, la notion de « crise affectant la sécurité de la zone » inclut évidemment n'importe quelle région du monde, et confère donc à l'OTAN une vocation mondiale. Les politiques étrangères des alliés des États-Unis, et en particulier celle de la France, soutiennent officiellement cette solution et donc le remplacement de l'ONU par l'OTAN, dans le domaine essentiel de la « sécurité collective ». Deux remarques s'imposent toutefois :
— l'un des résultats de l'intervention militaire contre la Serbie a été de permettre à l'armée serbe de déplacer les deux tiers de la population du Kosovo dans des conditions horribles et de se livrer à des exactions de « nettoyage ethnique » contre les Kosovars ;
— la « vocation mondiale » de l'OTAN est toutefois limitée par sa non-reconnaissance par la Russie, qui peut mener une guerre coloniale en Tchétchénie (depuis 1999) sans qu'aucune sanction ne soit envisagée, ou par la Chine, qui peut continuer dans les mêmes conditions sa politique de sinisation et de répression au Tibet.

### Le nouveau désastre du Timor oriental

Le rôle que l'ONU a joué au Timor oriental a enfin ajouté une note supplémentaire à la philosophie « réaliste » qui continue d'inspirer les politiques de la « communauté internationale » en ce domaine. Ce petit pays, ancienne colonie portugaise à majorité chrétienne, occupé par l'Indonésie, devait, sous l'égide de l'ONU, décider de son destin. Tout les experts, et la mission de l'ONU pour l'organisation dudit référendum en particulier, connaissaient les risques considérables de répression par les milices soutenues par l'armée indonésienne, que pouvait entraîner un vote en faveur de l'indépendance. La décision de tenir le référendum a été prise en toute connaissance de cause et a entraîné la quasi-destruction du pays et des milliers de morts. Une intervention militaire n'a été envisagée qu'après ces massacres, et les soldats de l'armée australienne qui composaient la force envoyée par l'ONU ont trouvé un pays détruit.

### Une nouvelle crise de l'ONU

L'attentat terroriste sur les deux tours du World Trade Center à New York le 11 septembre 2001 a entraîné une profonde modification de la politique étrangère des États-Unis. Ce qu'ils ont appelé la « lutte contre le terrorisme international » les a conduits à intervenir en Afghanistan en novembre 2001 (où le régime des talibans a été renversé) puis en Irak en avril-mai 2003. Il en est résulté une crise internationale au sujet du respect des décisions du Conseil de sécurité de l'ONU. Si l'intervention en Afghanistan a été cautionnée par l'ONU, en revanche l'intervention en Irak n'a pas été autorisée par le Conseil de sécurité. La résolution 1441 demandait sans doute au dictateur irakien Saddam Hussein de mieux répondre aux exigences des inspecteurs de l'ONU, lancés à la recherche des « armes de destruction massive », mais n'autorisait pas l'usage de la force. La France, la Russie et la Chine, membres permanents du Conseil, et l'Allemagne s'opposaient à une intervention militaire, et les États-Unis en dépit d'efforts importants n'ont pas réussi à convaincre les autres membres du Conseil de voter en leur faveur. Le déclenchement des hostilités, sans l'approbation de la communauté internationale, a entraîné une grande opposition populaire dans les pays arabes, en Europe et dans le monde entier. La division des gouvernements sur ce sujet met en question le futur rôle de l'ONU, puisque le droit international est violé ouvertement par la puissance hégémonique. En appelant l'ONU à être présente, avec une mission limitée en Irak sous occupation américaine, la communauté internationale a tenté de cacher sa profonde division.

## Situation de l'ONU dans le système mondial

En ce début de XXIᵉ siècle, la situation de l'ONU dans le système de sécurité mondial est loin d'être clairement définie. La seule certitude que l'on puisse avoir est que l'organisation n'est pas un acteur indépendant sur la scène politique.

L'ONU est en fait essentiellement, en cette fin de siècle, le Conseil de sécurité, où les États-Unis et les grandes puissances font la loi et où aucun des membres permanents (dont la France) ne peut être lié par une décision qu'il n'aurait pas expressément approuvée, et le secrétaire général qui ne peut prendre aucune décision politique sans l'accord du Conseil et qui dispose seulement de quelque autorité en matière de gestion.

Depuis la fin de la guerre froide le monde est à la recherche d'un système de sécurité, mais il ne l'a pas trouvé. La philosophie du réalisme politique réussit, au prix de dépenses militaires considérables, à protéger les pays riches contre les perturbations que pourraient provoquer les crises qui se multiplient dans les pays pauvres. Mais il n'existe aucune méthode pour prévenir ces crises, ni par interventions militaires, ni par négociation.

Il n'a pas été élaboré, ni à l'ONU ni en dehors d'elle, de stratégie de prévention des conflits en préparation. Sans doute quelques éléments de la FORPRONU ont-ils été déployés, à titre préventif, en Macédoine. Mais c'est le seul exemple d'un effort dans ce sens. Le cas de l'Algérie est à cet égard exemplaire. Il n'était nul besoin de disposer d'un système d'alerte rapide pour savoir que les conditions de développement d'une guerre civile étaient réunies dans ce pays dès 1992. Or ni l'ONU ni les grandes puissances ne sont intervenues d'une manière quelconque pour tenter d'éviter le développement d'une situation catastrophique, dans laquelle les éléments économiques jouent un rôle fondamental. Dans bien d'autres pays où la détérioration de la situation économique, la pression de la propagande et de la publicité qui diffusent un modèle occidental parfaitement inaccessible aux masses pauvres se combinent pour provoquer des frustrations et des crises identitaires qui cherchent une issue dans les intégrismes, les nationalismes ou le repliement sur les solidarités ethniques, rien n'est prévu par la « communauté internationale » pour intervenir afin de prévenir le développement de conflits internes. Et ce ne sont certainement pas les interventions du FMI en matière d'ajustement structurel qui aideront à résoudre ces problèmes.

En dépit du fait que le secrétaire général a tenté de multiplier les interventions de type diplomatique dans de très nombreux pays, le nombre des interventions de l'ONU par rapport au nombre des conflits armés existant dans le monde reste modeste. Depuis 1980, le nombre des conflits a varié suivant les années entre trente et quarante. L'ONU reste absente en Moldavie, en Arménie, en Kirghizie, au Bangladesh, en Birmanie, au Sri-Lanka, au Soudan, en Colombie, au Yémen, en Tchétchénie et, naturellement, en Irlande du Nord.

L'ONU se contente désormais de venir en aide aux pays dévastés : son rôle semble s'orienter vers un renouveau de l'idée de « tutelle » ; la formulation des missions qui lui ont été confiées au Kosovo et au Timor semble même établir un pouvoir de type colonial sur les pays épuisés par les conflits.

La « sécurité collective », assurée par des interventions militaires répressives, dans des cas limités définis essentiellement par États-Unis, est du ressort de l'OTAN et même, depuis 2001, des seuls États-Unis. La prévention est pratiquement abandonnée ; les chapitres VI et VII de la charte n'ont plus aucune actualité. Ni les grandes puissances, ni les organisations mondiales n'ont de stratégie cohérente face au développement continu des conflits intraétatiques et aux conséquences qu'ils entraînent — augmentation du nombre des réfugiés, situations humanitaires dramatiques, migrations massives, etc. Ni une « sécurité collective » totalement illusoire ni des opérations de maintien de la paix ne sauraient répondre aux nouveaux problèmes de sécurité ainsi posés. Le système de sécurité qui devrait être celui du XXIe siècle reste à définir. Les « grandes puissances » hésitent sur le rôle qu'elles devraient avoir. Les Européens sont à la recherche de ce que devrait être une politique étrangère et de sécurité commune, les conditions d'exercice de leur hégémonie militaire par les États-Unis sont mises en question en Europe et dans le reste du monde, les conceptions divergentes de la mondialisation s'affrontent de Davos à Porto Alegre, le problème de la prévention des conflits internes par la réduction de la pauvreté et de l'ignorance est posé. Mais on peut craindre que ce ne soit pas au Conseil de sécurité de l'ONU qu'une réponse à ces problèmes sera apportée. Le moins que l'on puisse dire est qu'une réflexion s'impose sur l'analyse des causes de ces situations, sur le type de système de sécurité capable d'apaiser et de prévenir les risques qu'elles entraînent, et sur le type d'organisation mondiale qui pourrait être le support d'un tel système.

# V / Réformer ou refaire l'ONU ?

On assiste de manière de plus en plus fréquente au retour de l'idée « qu'il faut réformer l'ONU ». Sans doute y a-t-il un grand nombre de sens donnés à cette expression. Il faut d'abord distinguer ce que l'on peut appeler la conception « petite réforme » qui concerne l'accroissement de l'efficacité du secrétariat, son organigramme, des modifications mineures de la machinerie des comités intergouvernementaux, et la conception « grande réforme » qui consiste à modifier la charte : composition du Conseil de sécurité, création d'organes nouveaux et importants, modification des pouvoirs du secrétaire général, éventuellement armée onusienne, etc.

## Le réformisme chronique

L'idée que de petites réformes de l'organigramme du secrétariat pourraient améliorer l'efficacité politique de l'organisation a joué un rôle historique considérable (l'encadré fournit un bref historique de ces efforts), dans la mesure où elle a permis à de nombreux gouvernements d'attribuer à l'ONU les erreurs de leurs propres politiques étrangères. Même s'il reste évident qu'il serait possible de faire quelques progrès en améliorant les méthodes de programmation ou en recrutant et formant des fonctionnaires plus compétents, cette idée a perdu de sa crédibilité, chacun commençant à reconnaître aujourd'hui que le problème de l'ONU est essentiellement politique. Mais elle est encore fréquemment utilisée. L'idéologie qui la soutient prend des formes diverses suivant le groupe d'États membres concerné.

Depuis que la majorité de l'Assemblée générale est passée des pays occidentaux aux pays du Sud, ce sont surtout les États-Unis qui ont défendu cette position, d'ailleurs partagée par tous les pays « gros contributeurs », y compris par l'Union soviétique. Cette idéologie a servi de réponse aux nombreuses résolutions que la nouvelle majorité a fait adopter, notamment dans les années soixante-dix en faveur des pays arabes contre Israël et à celles qui réclamaient un nouvel ordre économique international. L'habitude ainsi prise d'attribuer les échecs politiques de l'organisation à sa « mauvaise gestion » est devenue si forte qu'elle continue d'inspirer encore l'analyse américaine des problèmes. Ainsi Madeleine K. Albright, représentante américaine auprès de l'ONU, a expliqué le 11 juin 1993, devant le Council of Foreign Relations, que les échecs de l'ONU dans les opérations de maintien de la paix, de la Yougoslavie à la Somalie en passant par l'Angola, étaient dus à l'« amateurisme » des Nations unies en ce domaine, et que c'est en réformant la méthodologie de ces interventions que le succès deviendra possible. Cette façon de remplacer l'analyse politique par une critique des méthodes de gestion a survécu à tous les échecs des autres opérations ordonnées par le Conseil de sécurité.

Jusqu'en 1985, les idées de l'Union soviétique sont restées fort proches de celles des Américains. Traditionnellement, l'URSS ne s'est jamais intéressée aux activités économiques et sociales. Le renversement des positions soviétiques à l'égard de l'ONU opéré par Mikhaïl Gorbatchev en 1987 (*cf.* chapitre IV) aurait sans doute pu permettre l'ouverture d'une réflexion sur une réforme en profondeur de l'organisation mondiale. Ces propositions étaient en apparence respectueuses du cadre de la charte, mais elles impliquaient une remise en cause de sa philosophie. L'occasion a été volontairement manquée par l'Occident, et la Russie de Eltsine s'est gardée de poursuivre dans cette voie, confortant ainsi les positions et l'idéologie traditionnelles.

Enfin, les représentants des pays en développement se sont depuis longtemps alignés sur les positions des pays riches. Ils avaient sans doute, avant les années soixante-dix, entendu par réforme l'accroissement du nombre des membres des divers conseil et comités, y compris le Conseil économique et social et le Conseil de sécurité. Ils ont ainsi réussi deux fois, en 1963 et en 1971, à la suite du doublement et du triplement du nombre des États membres, à obtenir deux amendements à la charte en portant de onze à quinze le nombre des membres du Conseil de sécurité et celui des membres du Conseil économique et social de dix-huit à vingt-sept, puis de vingt-sept à cinquante-quatre. Mais, depuis lors, l'idée que la charte était intouchable est devenue la règle, et les protestations, émises le

# XVIII. — Histoire des petites réformes du secrétariat

**Pour mémoire : Société des Nations**

— *1920 :* conférence de Bruxelles.
— *1922 :* travaux préparatoires à l'établissement du Comité économique et financier (secrétaire général adjoint : Jean Monnet).
— *1927 :* conférence de Genève sur les questions économiques et sociales.
— *1936 :* travaux du Comité des 28.
— *1939 :* rapport du groupe d'experts présidé par l'Australien Stanley Bruce, recommandant la création d'un « Comité central sur les questions économiques et sociales » pour diriger les « activités techniques », qui donnera aux pères de la charte l'idée du Conseil économique et social.

**ONU**

• *De 1946 jusqu'au milieu des années soixante (initiatives du secrétaire général)*
— *1954 :* groupe de 3 experts créé par Trygve Lie (réorganisation du secrétariat).
— *1960 :* groupe de 8 experts créé par D. Hammarskjöld et présidé par Georges Picot qui aida à rejeter la proposition Krouchtchev de « troïka » (réorganisation du secrétariat).

• *À partir du milieu des années soixante (initiatives de l'assemblée générale)*
— *1966 :* Comité des 14 : une centaine de recommandations sur planification, programmation, évaluation, questions de personnel, contrôle et inspection.
— *1968 :* création du Corps commun d'inspection (8 inspecteurs indépendants, puis 11) qui publie régulièrement des rapports sur l'ONU et les agences, préconisant notamment l'adoption de budgets-programmes et de plans à moyen terme, une politique de personnel, l'amélioration des méthodes concernant les activités de développement, etc. (jusqu'en 1994, plus de 250 rapports).
— *1969 :* étude sur la capacité du système des Nations unies pour le développement (sir Robert Jackson, réforme du PNUD).
— *1975 :* groupe de 25 experts sur la restructuration des secteurs économique et social, qui propose notamment la création d'un poste de directeur général du développement et reprend des recommandations du CCI sur politique de personnel et sur planification.
— + divers comités sur questions de personnel, de finances et administratives.

• *Période de crise aiguë, à partir de 1985*
— *1986 :* groupe des 18 (reprise de très nombreuses recommandations traditionnelles sur l'amélioration des méthodes de gestion, réduction des effectifs du secrétariat, sans indication de priorités, plusieurs recommandations divergentes sur procédure budgétaire) [53].
— *1992-1993 :* plusieurs réformes du secrétariat par le secrétaire général, redistribution des départements politiques et des départements économiques, réduction du nombre des postes de sous-secrétaire général et secrétaire général adjoint, suppression du poste de directeur général du développement.

Depuis 1997, le nouveau secrétaire général a tenté d'accroître la coopération dans le système de l'ONU en créant de nouveaux instruments, sous la forme de documents supposés définir des stratégies communes entre les agences et les programmes de l'organisation (bilans communs de pays et programmes communs désignés par leurs sigles anglais CCS et UNDAF), et en renforçant le rôle du Comité administratif de coordination, qui a changé de nom. (Il est devenu le CEB, soit le Comité de coordination des chefs de secrétariat des organismes des Nations unies.)

plus souvent en privé, contre le droit de veto au Conseil de sécurité n'ont jamais été prises au sérieux.

Cette tendance réformiste modérée, qui ne nourrit pas de grandes illusions sur les résultats à attendre des réformes envisageables, repose sur quelques idées simples qui sont devenues des lieux communs du discours relatif aux Nations unies. La première est que la création d'une organisation mondiale à caractère universel a été un progrès d'une telle ampleur, dans un monde jusque-là dominé par les nationalismes et les guerres, qu'il ne serait guère raisonnable d'imaginer un autre type de solution. La guerre froide a apporté une raison supplémentaire pour ne pas rêver à d'autres solutions institutionnelles. Le fait que la SDN puis l'ONU n'aient pu être créées chacune qu'après une guerre mondiale a fait naître le deuxième lieu commun en la matière, selon lequel il faudrait attendre une nouvelle commotion du même ordre pour pouvoir créer une nouvelle organisation.

Le réalisme veut donc que l'on s'en tienne à ce que l'on a déjà obtenu, quitte à en corriger les défauts, à réparer ou à perfectionner quelques pièces de rechange. En dehors des grands moments où l'émotion collective et la force d'une coalition victorieuse ont permis d'établir un système réunissant un consensus, toute modification de la structure de la charte reviendrait à ouvrir la « boîte de Pandore » (c'est le troisième lieu commun), chaque État ayant inévitablement des idées différentes sur le type de transformation qu'il faudrait envisager. Si l'on ajoute que les grands principes énoncés dans la charte sur les droits de l'homme, les droits des peuples, la dignité de la personne humaine et le progrès social recueillent une adhésion générale, pourvu qu'il soit admis que le chemin pour atteindre les objectifs ainsi fixés sera long, on dispose d'un instrument satisfaisant qui combine de façon raisonnable idéalisme et réalisme.

Dans ces conditions, il n'y a rien d'étonnant à ce que les conceptions relatives à la réforme des Nations unies n'aient pas montré beaucoup d'audace. L'idée qu'il faudrait peut être un jour toucher à la charte elle-même a été longtemps considérée comme tabou.


## La tentative de réforme du Conseil de sécurité

Depuis 1992, l'idée que, pour améliorer l'efficacité de l'organisation, il devenait nécessaire de réformer le Conseil de sécurité — et donc de modifier la charte sur ce point — a pris suffisamment de force pour que l'Assemblée générale en examine la possibilité. Les réalistes commençaient à penser qu'il devenait indispensable de faire une place à l'Allemagne et au Japon, seules grandes puissances à ne pas être membres permanents du Conseil. Mais pour des raisons évidentes, ceci exigeait que l'on fasse place aussi à quelques autres grands États du tiers monde, comme par exemple l'Inde ou le Brésil. Il fallait aussi offrir une place à l'Afrique, et l'idée de choisir l'État le plus peuplé, le Nigeria, a été avancée.

Posées en ces termes, les chances d'aboutir de cette tentative de réforme étaient nulles. Deux difficultés, facilement prévisibles, se sont révélées effectivement insurmontables : les rivalités de prestige et d'influence entre candidats éventuels (pourquoi le Brésil et non le Mexique ou l'Argentine ? Pourquoi l'Allemagne et non l'Italie ou l'Espagne ? Pourquoi l'Inde et non le Pakistan ou l'Indonésie ?) et la définition de critères pour justifier l'existence de « membres permanents » ; aucun projet n'a pu finalement être élaboré. De toute manière le véritable problème n'a jamais été posé ; les États membres, y inclus les grandes puissances, étaient-ils décidés à transférer quelque pouvoir réel au Conseil de sécurité ? Une doctrine sur les méthodes de prévention des conflits (et notamment sur la mise à la disposition du Conseil de ressources et de moyens importants) existait-elle ? Les réponses sont évidemment négatives. Par conséquent, même si un élargissement du nombre des membres du Conseil était apparu possible, cela n'aurait rien changé à son efficacité.

### Les idées des universitaires

S'il est normal que les gouvernements et les diplomates qui les représentent soient désireux de soutenir une structure qui sert à défendre l'ordre existant, il peut paraître plus surprenant que les théoriciens et les spécialistes des organisations mondiales soient eux aussi des adeptes de la même idéologie. On se trouve ici en présence de trois courants traditionnels de pensée :
— le courant dit « réaliste », pour lequel la recherche du pouvoir et la défense de l'intérêt national par des États indépendants, non soumis à des règles ou à une autorité commune, conduit inévitablement à la guerre ou à un état d'équilibre des puissances (*balance of power*) toujours menacé ;
— le courant « idéaliste », ou interdépendantiste, pour lequel les relations transnationales entre individus, groupes ou entreprises tendent à créer une communauté universelle capable d'accepter des

110

règles et des institutions communes, de rassembler les hommes et peut être de les conduire vers une société pacifique ;

— le courant « marxiste » ou néomarxiste, ou dépendantiste, qui tend à analyser les relations internationales comme des relations de domination et d'exploitation, en d'autres termes comme des rapports de classes.

Aucun de ces courants n'aboutit à des propositions de réforme. Les « réalistes » pensent que la seule solution pour tenter de réduire le nombre des conflits violents réside dans le développement de méthodes diplomatiques améliorées destinées à maintenir un équilibre des puissances (*balance of power*) entre les diverses nations. C'est ce qu'explique, par exemple, Hans Morgenthau, le chef de file de l'école réaliste américaine, dans son livre *Politics among Nations*, et ses successeurs n'ont guère fait que reproduire cette thèse. En matière d'organisation internationale, les néomarxistes sont très proches des réalistes. Enfin, la tendance idéaliste pense que la constrution progressive de dispositions plus ou moins contraignantes pourra permettre un jour d'aboutir à une société civilisée où les conflits ne se règleront plus par la violence. Le fonctionnalisme (*cf.* chapitre I) est une variante de l'idéalisme. Le néofonctionnalisme (Ernst B. Haas) apparu comme une théorisation de l'expérience de la Communauté européenne n'a pas pour autant débouché sur des propositions de transpositions de cette expérience au plan mondial.

Surtout, aucune de ces écoles de pensée n'a théorisé le rôle de la structure constitutionnelle dans le jeu des forces politiques au niveau mondial. Sans doute quelques auteurs américains (Robert Mendlowitz, Richard Falk) ont-ils osé parler de *global constitutionalism* [54] et se sont demandé quel était le « statut politique de l'humanité », mais s'ils ont mis en question la nature et le rôle de la souveraineté des États, ils n'ont pas élaboré de projets précis pour le dépassement de cette souveraineté au plan mondial.

Le réformisme modéré est l'expression d'une philosophie faite d'un mélange de « réalisme » conservateur et de scepticisme sur les possibilités d'une organisation de la société mondiale. Cette « sagesse » nie le changement, pense « qu'il y aura toujours des guerres », estime que les progrès permis par la charte actuelle sont les seuls que l'on puisse espérer. Elle recommande les moyens traditionnels pour garantir la sécurité, soit les armées nationales, les alliances, la solidarité des pays riches et puissants contre les trublions éventuels. L'ONU n'a finalement, dans cette analyse, qu'un rôle marginal, ce qui est une raison supplémentaire pour ne pas chercher à en modifier la structure ou les pouvoirs.

## La thèse « troisième génération » ou « constitutionnaliste »

La thèse que l'on peut appeler « constitutionnaliste » est récente. Elle n'a pas encore un corps de doctrine très complet. Elle est faite davantage de propositions concrètes que de théories. Elle n'a le soutien que d'un petit nombre de spécialistes des organisations mondiales. Tout se passe comme si elle n'osait encore s'affirmer clairement face aux idées reçues et aux tabous, ou comme si elle craignait de paraître utopique face aux détenteurs de la « sagesse des nations ». Elle est pourtant faite d'idées, de remarques critiques et de propositions qu'il est possible de regrouper de manière cohérente. Elle inclut :

*1. L'affirmation de la fausseté ou du caractère archaïque et périmé des idées sur lesquelles sont construites les organisations mondiales actuelles :*
— irréalisme de la « sécurité collective », qui combine la croyance en une alliance éternelle entre les grandes puissances avec la certitude qu'elles sont capables de se battre pour des problèmes ne touchant pas à leurs intérêts vitaux ;
— faiblesse et danger d'un « fonctionnalisme » qui a réduit les « actions en commun » à de vagues discussions de normes et a abouti à séparer l'économie de la sécurité, alors que les deux domaines sont intimement liés ;
— inefficacité de la « diplomatie préventive », conçue sous la forme de « bons offices » ;
— caractère non pertinent de l'invention relativement tardive du maintien de la paix par les casques bleus, face au phénomène de développement des conflits intra-étatiques qui caractérise les dernières décennies du XXᵉ siècle ;
— caractère réactionnaire, en une période où les changements s'accélèrent dans tous les domaines, d'une organisation qui, loin de faciliter la transformation de l'ordre mondial, a tout au plus contribué à renforcer ses aspects les plus archaïques.

*2. L'identification des progrès faits, en dehors de l'ONU, en matière de paix et de sécurité depuis cinquante ans et l'idée qu'il est possible et souhaitable de les transposer au plan mondial.*
On constate en effet que le problème de la paix, en cette fin de XXᵉ siècle, a trouvé sa solution en Europe occidentale. Cette région du monde où les rivalités opposant depuis des siècles les pays qui la composaient avaient été à l'origine des deux guerres mondiales a résolu ses problèmes internes de sécurité. Si la construction de

l'Union européenne continue d'être difficile, si les rivalités d'intérêts économiques subsistent, la possibilité du recours à la guerre entre la France, l'Allemagne, la Grande-Bretagne, l'Espagne ou l'Italie est devenue difficilement imaginable. Ce résultat a été atteint parce que les hommes d'État qui ont créé la Communauté européenne avaient médité sur les erreurs du traité de Versailles, sur les frustrations identitaires qu'elles avaient entraînées, sur les causes de la montée du fascisme en Italie ou du nazisme en Allemagne, sur les types de projets communs qui pouvaient conduire les peuples à coopérer, puis à dépasser la notion de souveraineté nationale.

L'ensemble d'analyses ainsi faites ressortit d'une philosophie de la guerre et de la paix radicalement différente de celle qui a inspiré la création de l'ONU. La transposition de cette solution régionale à l'échelle mondiale ne s'est pas effectuée. La thèse constitutionnaliste prétend toutefois qu'une évolution dans ce sens est possible. Elle s'appuie sur les leçons que l'on pourrait retenir de l'expérience de la CSCE et sur les progrès intellectuels faits au sujet du problème de la prévention des conflits. Les négociations CSCE qui ont commencé en 1973 et établi une sorte de « communauté de sécurité » entre l'Amérique du Nord, l'Europe de l'Ouest et de l'Est et les pays successeurs de l'URSS ont confirmé qu'il était possible de garantir la paix entre États-nations par des méthodes plus efficaces que celles de la « sécurité collective ». Les mesures de confiance et de sécurité, la transparence des activités militaires, la réduction des armements assortie de contrôles mutuels précis, complétés par le développement de liens de coopération économiques et culturels, et par un accord sur la conception des droits de l'homme et de l'idéologie politique ont réussi à faire reconnaître que les « peuples civilisés » n'ont pas besoin de recourir à la guerre pour régler leurs divergences d'intérêts.

Le développement de ces méthodes et leur extension possible à d'autres régions (en Méditerranée, en Asie) fournissaient le modèle d'un nouveau « système de sécurité » qui aurait pu avantageusement remplacer celui fondé sur la « sécurité collective ». Tel n'a pas été le cas : la transformation de la CSCE en 1995 en une organisation nouvelle sans grande influence (OSCE), au moment même où, sous l'influence des États-Unis, on renforçait et élargissait l'OTAN, a entraîné le retour à des conceptions militaristes de la sécurité. Cette évolution a démontré que la possibilité d'un consensus au sujet des méthodes qui pourraient permettre d'assurer la paix mondiale était encore éloigné. Il semble toutefois acquis que les pays développés aient abandonné l'idée du recours à la guerre pour régler leurs différends. L'idée de conquête territoriale est devenue pour eux obsolète et même ridicule.

Le sentiment de scandale et d'anachronisme provoqué par les conflits intra-étatiques qui se développent dans les pays pauvres, mais particulièrement à l'intérieur de la zone CSCE — en Yougoslavie, en Géorgie, en Azerbaïdjan, en Kirghizie —, n'est pas en contradiction avec l'analyse des causes des guerres, qui, consciemment ou inconsciemment, a sous-tendu l'établissement de la CEE et de la CSCE. Il devient de plus en plus clair en effet que ce sont bien les frustrations identitaires qui expliquent ces phénomènes : frustrations ressenties dans les régions les plus pauvres du monde du fait de l'inaccessibilité du modèle occidental qui leur est proposé — ce qui explique les intégrismes, les repliements nationalistes ou ethniques —, frustrations ressenties en 1993 en Russie du fait de l'humiliation qu'a entraînée le même modèle occidental, brutalement imposé sur des structures non préparées pour le recevoir — d'où le succès électoral des partis nationalistes et communistes. Les leçons que l'on peut retenir de ces diverses expériences sont que l'insatisfaction identitaire est la cause profonde du recours à la violence et de la transformation des conflits en guerres [47] ; qu'au contraire l'émergence de sentiments d'appartenance à une communauté obtenue par l'acceptation de la coexistence de cultures et d'idéologies différentes, l'accord sur un minimum de principes communs, la définition d'objectifs à atteindre ensemble et la possibilité d'accès à un certain niveau de développement économique et social sont les conditions fondamentales de l'existence d'une société pacifique.

*3. Des propositions concrètes pour l'établissement d'un nouveau type d'organisation mondiale, dite de « troisième génération ».*

Les propositions de réforme d'une tout autre ampleur que celle des « petites réformes » du secrétariat sont venues de milieux plus préoccupés de pratique que de théorie (fonctionnaires et anciens fonctionnaires du secrétariat, hommes politiques, diplomates ou hommes d'affaires). Ces réflexions critiques et ces analyses ont débouché, en particulier depuis 1985, sur l'élaboration de nombreux projets de réforme [51 ; 55 ; 60 ; 61]. Ont ainsi été préconisées la création d'un Conseil de sécurité économique d'environ vingt-deux membres, celle d'un système de commission d'un type comparable à celui de la Communauté européenne pour remplacer le système décentralisé des organisations mondiales, la création d'agences régionales de développement, un système de représentation de type régional pour éviter les inconvénients combinés du système « un État, une voix » et du système de vote pondéré. Diverses formules et procédures ont été proposées pour permettre ces réformes de structure, malgré les tabous existants. Il a aussi été proposé de renoncer à l'universalité systématique qui admet comme membres de l'ONU les gouvernements de tous les pays, quels que soient leurs régimes, et de subordonner l'appartenance à la nouvelle organisation à l'acceptation non seulement de principes clairs, mais aussi à celle de méthodes de contrôle et de vérification de leur application [52]. La proposition a même été faite d'une nouvelle charte pour un autre type d'organisation mondiale [53].

La majorité des auteurs de ces projets n'étaient pas assez naïfs pour imaginer qu'ils pourraient être pris rapidement en considération. Mais ils entendaient démontrer qu'un autre type d'organisation mondiale que celui existant aujourd'hui était possible et souhaitable. Plusieurs idées importantes ont d'ailleurs commencé à être retenues par une partie de la classe politique : celle de la nécessité de la réforme du Conseil de sécurité, celle de la création d'un « Conseil de sécurité économique », celle de l'importance des organisations régionales, et toutes celles relatives à une prise en considération de la réduction de la pauvreté et de sa relation avec les prolèmes de sécurité.

## Mondialisation politique et recherche d'un consensus

Les diverses thèses en présence n'ont pour l'instant aucune influence sur les politiques des gouvernements. L'ONU semble irréformable. La réalité politique est que les États-Unis d'Amérique restent convaincus qu'ils doivent exercer leur *leadership* sur la politique internationale et que les moyens militaires, techniques, et économiques dont ils disposent leur permettent de le faire. Les pays européens, préoccupés par les difficultés de la construction européenne, n'accordent aux problèmes institutionnels mondiaux qu'une attention très limitée. Le Japon n'a émis aucune idée nouvelle ; les pays en développement ont d'autres soucis. Il ne semble donc n'y avoir aucune chance de voir le problème de l'établissement d'un système de sécurité plus efficace à l'échelon mondial inscrit dans un agenda de négociations. Le secrétaire général de l'ONU peut sans doute expliquer qu'il faut donner à son organisation plus d'autorité et de moyens d'action. Nul n'est prêt à lui donner une réponse positive. La situation politique est telle qu'aucun consensus n'est possible, ni pour donner à l'ONU les pouvoirs et l'armée, dont tous les secrétaires généraux ont rêvé, et que plusieurs articles de sa charte, dans l'euphorie des lendemains de victoire, avaient d'ailleurs prévus d'établir, ni non plus pour accepter de remplacer l'ONU par l'OTAN, ni enfin pour que l'une ou l'autre de ces instances se mette réellement à jouer au « gendarme du monde » ; la majorité républicaine qui règne à Washington veille au grain : qui oserait proposer aujourd'hui quelque réforme qui ne plairait pas aux États-Unis ? Et les susceptibilités de nombreux pays au sujet de leur souveraineté ne permettent pas d'espérer qu'un système d'ingérence et de supranationalité puisse être mis en place prochainement.

La nécessité de ce que l'on peut appeler la « mondialisation politique » commence à apparaître de plus en plus clairement. Chacun devient conscient qu'il faut une réponse de ce type au phénomène de mondialisation économique, commerciale, financière et sociale. Mais deux conceptions s'opposent à cet égard, qui tiennent à des analyses différentes des causes de l'insécurité dans le monde moderne : celle, hégémonique et répressive, des États-Unis d'Amérique, axée sur la répression du « terrorisme international » et des menaces qui proviendraient des « États voyous », celle, moins clairement formulée ; de la lutte contre la pauvreté et l'ignorance, qui seraient les causes des seules menaces sérieuses contre la sécurité. La puissance hégémonique et les autres « grandes puissances » cherchent à définir des politiques communes ou au moins convergentes, mais elles n'y réussissent pas. Elles ont pris l'habitude de se concerter régulièrement dans le cadre d'un groupe qui de sept pays à l'origine est devenu le G8, la tendance à son élargissement à d'autres grands pays — tels que la Chine, l'Inde, ou d'autres représentants du monde pauvre — restant possible mais discutée. En fait, la notion même de « grande puissance » est en question, ainsi que le type de politique étrangère qu'elle devrait impliquer.

Aux États-Unis, on assiste à un renouveau de l'école « réaliste », qui tend à justifier la politique de l'administration Bush et le mépris du droit international et du Conseil de sécurité par l'éternité des politiques des États nations (« monstres froids », etc.) [78]. Ces analyses ne tiennent aucun compte des forces sociales réelles, ni des sentiments des peuples, qui pourtant jouent un rôle grandissant dans la politique internationale. De son côté, l'Union européenne doit surmonter de considérables difficultés pour donner un contenu à ce qu'elle appelle sa « politique étrangère et de sécurité commune » (PESC) [80]. Les grands pays hésitent entre le militarisme et la répression recommandés par les États-Unis [79], et la coopération économique et sociale entre eux et avec les pays plus pauvres. Tant que ces hésitations et ces oppositions subsisteront, aucun consensus ne permettra d'envisager de réformer profondément ou de remplacer l'ONU.

En d'autres termes, les idées cheminent, sans doute lentement et sans grande illusion. Il reste impossible de prédire quand et dans quelles circonstances elles seront réellement prises en considération, mais il semble difficile que l'on reste encore très longtemps dans la confusion actuelle au sujet de la sécurité mondiale.

# Repères bibliographiques

**Ouvrages généraux**

*Publications des Nations unies*

La plupart des documents de l'ONU peuvent être consultés sur le site www.un.org.

[1] *Everyone's United Nations* (E 79.1.5).
[2] *Basic Facts about the United Nations* (E 93.1.2).

*Ouvrages antérieurs à 1985, mais présentant des analyses intéressantes*

[3] ABI-SAAB George, *Le Concept d'organisation internationale*, Unesco, Paris, 1980.
[4] CLAUDE Inis, *Swords into Plowshares*, Random House, New York, 4ᵉ éd., 1971.
[5] LUARD Evan, *The UN, How it Works and What it Does*, St. Martin Press, New York, 1979.
[6] TAYLOR J.P. et GROMM A.J.R., *International Organization. A Conceptual Approach*, F. Pinter, Londres, 1978.

[7] VIRALLY Michel, *L'Organisation mondiale*, Librairie Armand Colin, Paris, 1972.
[8] *International Institutions at Work*, F. Pinter, Londres, 1987.

*Publiés après 1985*

[9] *La charte des Nations unies. commentaire article par article*, éd. par COT Jean-Pierre et PELLET Alain, Economica, Paris, 1991.
[10] LÉONARD Yves, *L'ONU à l'épreuve*, Hatier, Paris, 1993.
[11] RENNINGER J.P. (éd.), *The Future Role of the UN in an Interdependant World*, Martinus Nijhoff, Dordrecht, 1989.
[12] ROBERTS Adam et KINGSBURY Benedict (éds), *United Nations, Divided World*, Clarendon Press, Oxford, 1993.

**Les antécédents. Conférences de la paix de La Haye. SDN**

*Publications de la SDN*

[13] *Petit Manuel de la SDN*, éditions annuelles de 1933 à 1939.

[14] *Dix Ans de coopération internationale*, préface de sir Eric Drummond, secrétariat de la SDN, Genève, 1930.

[15] BOURGEOIS Léon, *Pour la Société des Nations*, Fasquelle, Paris, 1910.

[16] GERBET P., GHEBALI V.Y. et MOUTON M.R., *Société des Nations/Organisation des Nations unies*, Éd. Richelieu, Paris, 1973.

[17] GHEBALI V.Y., *L'Organisation internationale du travail*, IUHEI, Georg., Genève, 1987.

[18] GHEBALI V.Y. et C., *Répertoire des documents de la SDN — 1919-1941*, Dobbs Ferry Oceana, 1973.

[19] WALTERS Francis Paul, *A History of the League of Nations*, Oxford University Press, Oxford, 1952.

[20] WEHBERG Hans, *La Contribution des conférences de la paix de La Haye au progrès du droit international*, Recueil des cours, La Haye, 1931.

[21] WOOLF Leonard, *Gouvernement international*, Girard et Brière, Paris, 1916.


**L'ONU-sécurité**


[22] ACHESON Dean, *Present at the Creation*, W.W. Norton, New York, 1969.

[23] FRANK Thomas A., *Nation against Nation*, Oxford University Press, Oxford, 1985.

[24] LUARD Evan, *A History of the UN*, vol. I : *The Years of Western Domination* ; vol. II : *The Age of Decolonisation*, Macmillan Press Ltd, Londres, rééd. 1993.

[25] RUSSEL Ruth B., *A History of the UN charter*, Washington, 1958.

[26] SIILASVUO Ensio, *In the Service of Peace in the Middle East — 1967-1979*, Hurst and Co., Londres, 1992.

[27] SMOUTS C., *Le Secrétaire général des Nations unies*, Armand Colin, Paris, 1971.

[28] TRYGVE LIE, *In the Cause of Peace*, New York, 1954.

[29] URQUHART Bryan, *Hammarskjöld*, Alfred and Knopf, New York, 1972.

[30] ID., *A Life in Peace and War*, Harper and Row, New York, 1987.

[31] ID., *Ralph Bunch*, W.W. Norton, New York, 1993.

[32] WALDHEIM Kurt, *In the Eye of the Storm*, Weidenfeld and Nicolson, Londres, 1985.

[33] SMOUTS M.-C. (éd.), *L'ONU et la guerre. La diplomatie en kaki*, Éd. Complexe, Paris, 1994.

[34] COT Jean, *Dernière Guerre balkanique*, L'Harmattan, Paris, 1995.

[35] WARNER Daniel, *New Dimensions of Peace Keeping*, Martinus Nijhoff, 1995.

[36] JEAN François, et RUFIN J.-C., *Économie des guerres civiles*, Hachette, Paris, 1996.

[37] LEHMANN Ingrid, *Peace Keeping and Public Information*, Ed. Frank Cass, 1999.


*Publications des Nations unies*


[38] *The Blue Helmets* (E 90.1.18).

[39] *L'ONU et le maintien de la paix* (DPI : 1399.93653).

**L'ONU-économique et sociale**

[40] Ministère des Affaires étrangères néo-zélandais, *UN Handbook*, publication annuelle.
[41] BEDJAOUI Mohammed, *Pour un nouvel ordre économique mondial*, Unesco, Paris, 1978.
[42] DAMSGARD Anders Carsten, *Staffing an International Civil Service. The UN Secretariat*, Institute of Political Science, University of Aarhus, 1981.
[43] GHEBALI V.Y., *La Crise des Nations unies*, La Documentation française, « Notes et études documentaires », Paris, 1988.
[44] SENARCLENS Pierre DE, *La Crise des Nations unies*, PUF, Paris, 1988.
[45] WILLIAMS Douglas, *The Specialized Agencies and the United Nations*, C. Hurst, Londres, 1987.

*Publications des Nations unies*

[46] *The UN and Human Rights* (E 84.1.6).
[47] *Journal of Development Planning. Multilateralism and the UN*, n° 17, 1987.
[48] *The UN and the Disarmament. 1945-1985* (E 85.IX.6).
[49] *Les Rapports au Conseil économique et social, rapport du CCI (JIU/REP/84/7), 1984.*

**La réforme de l'ONU**

[50] BERTRAND Maurice, *Refaire l'ONU, un programme pour la paix*, Éd. Zoe, Genève, 1986.
[51] ID., *The Third Generation World Organisation*, Martinus Nijhoff, Dordrecht, 1988.
[52] ID., *La Stratégie suicidaire de l'Occident*, Bruylant, Bruxelles, 1993.
[53] ID. et WARNER Daniel, *A New charter for a Worldwide Organisation ?* Martinus Nijhoff, La Haye, 1995.
[54] FALK Richard, JOHANSEN R. et KIM Samuel, *The Constitutional Foundation of World Peace*, State University New York Press, New York, 1993.
[55] FROMUTH Peter (éd.), *A Successor Vision. The UN of Tomorrow*, UNA, USA University Press of America, 1988.
[56] *The Nordic UN Project. Final Report 1991*, The Nordic Countries.
[57] GORBATCHEV Mikhaïl, *Realities and Guarantees for a Secure World*, Novosti Press Agency, Moscou, 1987.
[58] NERFIN Marc, *The Future of the UN System. Some Questions on the Occasion of an Anniversary*, Development Dialogue, 1985.

*Documents des Nations unies*

[59] *Rapport du groupe d'experts intergouvernementaux chargés d'examiner l'efficacité du fonctionnement administratif et financier des Nations unies (A/41/49).*
[60] *Quelques réflexions sur la réforme des Nations unies*, rapport du Corps commun d'inspection (A/40/988), 6 décembre 1985.
[61] *Human Development Report*, Publication annuelle du PNUD.

**La théorie des relations internationales et l'ONU**

*Ouvrages d'histoire des théories des relations internationales*

[62] BRAILLARD Philippe et DJA-LILLI M.R., *Les Relations internationales*, PUF, « Que sais-je ? » Paris, 1992.

[63] GROOM A.J.R. et TAYLOR Paul, *Functionalism*, Cross Russak, New York, 1975.

[64] HOFFMANN Stanley, *Contemporary Theory in International Relations*, Prentice Hall, Englewood Cliffs, NJ, 1960.

[65] HUNTZINGER Jacques, *Introduction aux relations internationales*, Le Seuil, Paris, 1987.

[66] LUARD Evan, *Basic Texts in International Relations*, Prentice Hall, Englewood Cliffs, NJ, 1960.

[67] MERLE Marcel, *Sociologie des relations internationales*, 4ᵉ éd., Dalloz, Paris, 1988.

[68] MITRANY David, *The Making of the Functional Theory. A Memoir*, Martin Robertson, Londres, 1975.

[69] SENARCLENS Pierre DE, *La Politique internationale*, Armand Colin, Paris, 1992.

[70] ZORGBIBE Charles, *Les Relations internationales*, PUF, Paris, 1975.

**Documents et ouvrages publiés depuis 1995**

[71] *Rapport Zedillo*. Document A55/1000 du 26 juin 2001.

[72] EMMERICH Louis, JOLLY Richard et WEISS Thomas G., *Ahead of the Curve* Indiana University Press, 2001.

[73] DONINI Antonio, NILAND Norah, WERMESTER Karin (éds), *Aid, Peace and Justice in Afghanistan*, Kumarian, 2003.

[74] SENARCLENS Pierre [DE], *Critique de la mondialisation*, Presses de Sciences politiques, Paris, 2003.

[75] SHOWCROSS William, *Deliver us from Evil*, Simon and Schuster, New York, 2000.

[76] MERKER Jamsheed, *East Timor*, Mc Farland and Co, 2003.

[77] BOULDING Marrack, *Peacemonger*, Éd. John Murray, 2002.

[78] GLENNON Michael J., *Why the Security Council failed*, Foreign Affairs, New York, mai-juin 2003.

[79] MAYNES Charles William, « US role in the world. What are the choices ? » *In Great Decisions*, Foreign Policy Association, New York, 2000.

[80] BERTRAND Maurice, « De l'Europe apaisée à l'Europe pacifiante », *Revue Hérodote*, nº 108, avril 2003.

La Dag Hammarskjöld Library à New York (www.un.org/depts/dhl) dispose, en juin 2003, d'une liste de 926 publications sur les Nations Unies, collectées depuis 1994 (adresse e-mail : dhlunsa@un.org).

# Liste des encadrés

# Table

i

Composition Facompo, Lisieux (Calvados)
Achevé d'imprimer en septembre 2003 sur les presses
de l'imprimerie Campin à Tournai (Belgique)
Dépôt légal : septembre 2003.
*Imprimé en Belgique*